COMMENT RÉUSSIR MON ENTREVUE D'EMBAUCHE

Les Éditions Transcontinental
TC Média Livres Inc.
5800, rue Saint-Denis, bureau 900
Montréal (Québec) H2S 3L5
Téléphone : 514 273-1066
1 800 565-5531
www.livres.transcontinental.ca

Pour connaître nos autres titres, consultez **www.livres.transcontinental.ca.** Pour bénéficier de nos tarifs spéciaux s'appliquant aux bibliothèques d'entreprise ou aux achats en gros, informez-vous au **1-855-861-2782** (faites le 2).

Catalogage avant publication de Bibliothèque et Archives nationales du Québec et Bibliothèque et Archives Canada
Delrue, Grégory
Comment réussir mon entrevue d'embauche
Comprend des réf. bibliogr.
ISBN 978-2-89472-318-0

1. Entretiens d'embauche. 2. Recherche d'emploi. I. Titre.

HF5549.5.I6D44 2006   650.14'4   C2006-941022-4

Révision : Lyne Roy
Correction : Diane Grégoire
Photo de l'auteur : Paul Labelle, photographe © 2006
Conception graphique de la couverture et mise en pages : Studio Andrée Robillard
Impression : Marquis Imprimeur – Division Gagné

Imprimé au Canada

Dépôt légal – Bibliothèque et Archives nationales du Québec, 3e trimestre 2006
Bibliothèque et Archives Canada
3e impression, octobre 2013

Les Éditions Transcontinental remercient le gouvernement du Québec – Programme de crédit d'impôt pour l'édition de livres – Gestion SODEC.

Nous reconnaissons l'aide financière du gouvernement du Canada par l'entremise du Fonds du livre du Canada pour nos activités d'édition. Nous remercions également la SODEC de son appui financier (programmes Aide à l'édition et Aide à la promotion).

GRÉGORY DELRUE

COMMENT RÉUSSIR MON ENTREVUE D'EMBAUCHE

Remerciements

Je tiens tout particulièrement à remercier ma conjointe, Fanny Cyr, et mon père par alliance, Michel Giray, qui m'ont conseillé et accompagné tout au long de la rédaction de cet ouvrage.

Je remercie aussi tous les membres de ma famille, qui m'ont encouragé et qui ont tous été pour moi une source d'inspiration : mes parents, Ingrid Giray et Franc Delrue, ma mère par alliance, Brigitte Delrue, ainsi que mes frères et sœur, Olivier Delrue, Maxim Delrue, Sébastien Giray, Gaétan Delrue et Marie Laure Giray.

Les personnes qui ont été des acteurs clés dans ma carrière : Wanda Brown, Denis Saint-Amour, Magali Neilson, Laurent Juery, Michael O'Leary et Sonia Renon-Chevrier.

Mes amis, Francis Pallascio, CA, Benois van Steenbrugghe et Vincent Bérard, d'excellents conseillers tout au long de ce projet.

Un grand merci aussi à tous les candidats qui m'ont inspiré ces mises en situation.

Enfin, merci à la personne sans qui ce livre n'aurait pu être publié et qui m'a habilement orienté dans ma rédaction : Jean Paré, des Éditions Transcontinental.

Table des matières

Chapitre 2

Chapitre 3

Chapitre 4

PARTIE 2

Introduction

Il n'est pas toujours facile de trouver un emploi. Les candidats pour un même poste sont de plus en plus nombreux à se faire concurrence, et les entreprises augmentent leurs exigences afin de réduire les risques de faire le mauvais choix.

La gestion des ressources humaines qui, auparavant, se faisait de manière autonome dans chaque service est aujourd'hui devenue un service à part entière. Quand vous cherchez un emploi, vous traitez la plupart du temps avec des professionnels du recrutement, formés précisément pour évaluer et sélectionner les candidats. Il est donc important que vous soyez préparé à la recherche d'un emploi de manière à éviter les pièges et à vous démarquer des autres candidats. Vous verrez ici comment traverser avec succès les deux grandes étapes d'une entrevue d'embauche : la préparation de l'entrevue et l'entrevue en soi.

Un premier conseil s'impose : investissez-vous et faites de votre mieux pour chaque entrevue que vous passez, même si vous avez déjà une offre ailleurs, même si le poste ne vous intéresse plus. On ne sait jamais ce que réserve l'avenir. L'entrevue que vous avez négligée aurait pu devenir votre dernière chance d'avoir un emploi, votre roue de secours. De plus, chaque entrevue vous sert de séance d'entraînement pour toujours offrir une meilleure performance et – qui sait ? – le recruteur a peut-être dans son jeu un autre projet pour vous.

Partie 1

Préparez la rencontre

On vous l'a dit cent fois plutôt qu'une : le CV et la lettre qui l'accompagne sont des cartes de visite importantes sur le chemin de votre nouvel emploi. Je suis d'accord.

Cela dit, vous auriez le plus beau CV et la lettre d'accompagnement la plus percutante qui soit, si vous ne passez pas la rampe au moment de l'entrevue d'embauche, vous n'obtiendrez jamais ce poste dont vous rêvez. L'entrevue d'embauche est l'occasion de **vous mettre en valeur** et de **nuancer vos points faibles.** Rien ne doit être laissé au hasard.

Si vous êtes bien préparé, vous serez moins nerveux, plus sûr de vous-même, vous donnerez des réponses intelligentes, vous ferez bonne impression et vous augmenterez ainsi vos chances d'être retenu pour le poste. En revanche, si vous êtes mal préparé, le recruteur pourrait conclure que vous portez peu d'intérêt au poste ou, pire, que vous êtes paresseux ou incompétent.

Cette première partie vous aidera à profiter des informations que vous donne l'annonce et à prévoir des réponses à une foule de questions que risque de vous poser le recruteur.

Chapitre 1

Informez-vous sur le poste et l'employeur

Je me souviendrai toujours d'un candidat que j'avais convoqué pour un poste de commis aux comptes fournisseurs. Quand je vais le chercher à la réception, il commence par me dire : « Bonjour Monsieur Duval. » Je précise gentiment que mon patronyme est Delrue. Évidemment, il se confond en excuses, mais il ne peut pas s'empêcher d'ajouter, assez maladroitement : « Pourtant, j'étais sûr que vous étiez Monsieur Duval… »

Durant l'entrevue, il se montre beaucoup plus loquace à propos de son expérience en matière de comptes clients que de comptes fournisseurs. Je finis par lui demander : « Monsieur Tremblay, pourquoi persistez-vous à me parler de vos expériences aux comptes clients alors que je vous questionne sur vos compétences aux comptes fournisseurs ? » Très sûr de lui, il rétorque : « Eh bien, parce que je suis ici pour un poste aux comptes clients ! »

Ce candidat se croyait de toute évidence à une autre rencontre, ce qui expliquait d'ailleurs la confusion à propos de mon nom.

Il ajoute : « Monsieur Delrue, je trouve votre environnement et vos bureaux vraiment agréables, j'espère bien que j'aurai le poste et que je pourrai intégrer votre équipe très bientôt. » Gardant mon calme, je lui demande : « Monsieur Tremblay, où pensez-vous être présentement ? » Il me répond avec un petit sourire, pensant que je lui tends une perche : « Chez mon futur employeur, j'espère ! » Il n'avait pas encore compris qu'il était dans une agence de placement.

Vous avez là l'exemple de quelqu'un qui, ayant plusieurs entrevues à son horaire, n'a pas pris la peine de bien se préparer. Même si ce candidat avait de bonnes compétences en comptabilité, il manquait cruellement de crédibilité.

Et vous, savez-vous comment vous préparer à une entrevue d'embauche ? Sachez que **7 devoirs** vous attendent d'entrée de jeu.

VOS 7 DEVOIRS AVANT L'ENTREVUE

1. Analyser l'offre d'emploi.
2. S'informer sur l'entreprise.
3. Faire le bilan de ses compétences.
4. Se préparer aux questions que posera le recruteur.
5. Préparer ses questions à poser au recruteur.
6. Préparer son évaluation en anglais.
7. Préparer ses références et sa présentation.

Dans ce chapitre, nous nous attardons particulièrement aux deux premiers devoirs qui vous attendent, soit analyser l'offre d'emploi et s'informer sur l'entreprise.

Analysez l'offre d'emploi

Que dit-elle, cette annonce qui a attiré votre attention ? Qu'est-ce qui vous intéresse, vous allume dans ce poste ? L'offre à laquelle vous avez répondu est le point de départ de votre préparation. Elle est composée de renseignements que vous voudrez exploiter afin de bien vous préparer à l'entretien.

- **Le nom de l'entreprise**

  Cette information vous permettra de lancer votre recherche sur l'entreprise. En utilisant les outils de recherche offerts sur Internet, vous trouverez probablement son site Web.

  Vous déterminerez tout de suite s'il s'agit d'une agence ou d'une entreprise traditionnelle et éviterez d'avoir l'air perdu comme le candidat dont il a été question précédemment. Vous saurez si vous avez affaire à une grande ou à une petite entreprise, dans quelle industrie elle se situe, si vous-même avez un intérêt pour son domaine d'activité et si c'est une société publique ou non.

  Imaginons une jeune designer également formée en marketing. Trouvant difficile de se tailler une place dans le monde de la mode à titre de designer, elle se cherche un emploi en marketing.

  Si elle voit un poste de chargé de projet en marketing à La Senza, il est peu probable que, en tant que consommatrice et designer, elle ne connaisse pas cette entreprise. Elle pourra donc en tirer plusieurs conclusions : c'est une entreprise bien implantée, présente dans le marché du textile et spécialisée en lingerie. Cela tombe à point : elle aime bien la lingerie et apprécie l'image dynamique que véhicule La Senza, le côté olé olé de la marque et, surtout, sa capacité de distribuer un produit innovateur et accessible à tous.

Bien que le poste affiché soit celui de chargé de projet en marketing, notre designer pourrait se porter candidate dans l'espoir que cet emploi la conduise éventuellement à celui de designer à La Senza.

- **La zone géographique**

Vous pouvez déjà évaluer la distance qui sépare votre domicile de votre lieu de travail et déterminer si vous vous y rendrez en voiture ou si vous pourrez utiliser le transport en commun.

Vous pouvez aussi voir si le trajet se fait en sens inverse du gros de la circulation. En effet, pour ce qui est du transport, il vaut mieux habiter Montréal et travailler à Saint-Bruno que l'inverse. Les résidents de Montréal peuvent obtenir le trajet en transport en commun en tapant « AUTOBUS » à l'aide du clavier téléphonique.

- **Un poste permanent ou temporaire**

Le plus souvent, les gens cherchent un poste permanent pour bénéficier des avantages sociaux de l'entreprise, d'une stabilité d'emploi ou pour éprouver un sentiment d'appartenance. Cependant, un certain nombre de travailleurs cherchent un poste temporaire. Par exemple, une personne qui part dans trois mois pour un long voyage voudra travailler entre-temps, histoire de ramasser de l'argent. Les postes temporaires peuvent aussi servir à acquérir de l'expérience dans certains domaines sans qu'on veuille y faire une carrière.

Si vous êtes à la recherche d'un poste permanent mais que l'offre d'emploi fait mention d'un poste temporaire, demandez-vous si vous êtes prêt à faire ce compromis. Peut-être l'expérience que vous pourriez acquérir serait-elle un atout suffisant pour poser votre candidature ? Dans certains cas, un emploi temporaire peut être une solution à court terme, en attendant de trouver un poste permanent.

Il faut savoir que, chaque année, il y a un cycle récurrent dans le recrutement. Les mois de janvier et février sont relativement calmes, car juste après les Fêtes les budgets alloués au recrutement ne sont pas tous déterminés ; on s'affaire plutôt à boucler l'année précédente. Mars, avril, mai et juin sont des mois particulièrement dynamiques. En juillet et août, c'est le calme plat à cause des vacances. Septembre, octobre et novembre constituent une bonne période pour le chercheur d'emploi, alors que décembre le décevra sans doute.

Les périodes moins effervescentes sont souvent le bon moment pour accepter un poste temporaire. En effet, en période creuse, les entreprises ont du mal à trouver des candidats permanents, donc elles rongent leur frein en engageant du personnel temporaire. Une fois que vous serez en poste, rien ne vous empêchera de lorgner les emplois permanents. Qui sait, votre séjour dans l'entreprise se prolongera peut-être ?

Si vous pensez qu'au contraire un poste temporaire ne vous convient pas parce que, par exemple, vous seriez angoissé à l'idée d'encore vous retrouver sans emploi quelques mois plus tard, éliminez cette possibilité.

• Le titre du poste

Le titre du poste indique si vous êtes dans votre champ de compétences. Évidemment, si vous êtes conseiller en ressources humaines et que le titre est chargé de projet en marketing, soit vous voulez vraiment réorienter votre carrière, soit vous passez à l'offre suivante…

Le titre du poste vous donne de l'information sur le degré hiérarchique. Bien sûr, les titres de fonction varient d'une entreprise à l'autre, mais jamais assez pour nous faire hésiter sur le fait qu'un directeur du service à la clientèle est plus élevé dans la hiérarchie qu'un commis au service à la clientèle.

Finalement, grâce au titre, vous pourrez déterminer si c'est un poste de superviseur ou pas.

- **La description**

On entre ici dans le vif du sujet. En lisant la description du poste, vous saurez si vous avez l'expérience nécessaire, bref, ce qu'il faut pour occuper l'emploi. Il peut y avoir plusieurs types de fonctions par poste. Par exemple, un technicien en ressources humaines peut faire uniquement de la gestion d'avantages sociaux, ou du recrutement, ou de la paie, alors qu'un autre ferait les trois. La description vous éclairera sur les exigences propres au poste. Vous pourrez ainsi faire le lien avec vos compétences.

- **Les compétences requises**

Je vous confie un secret : il est très rare qu'une entreprise ait la chance d'engager le candidat de ses rêves, celui qui correspond à 100 % à ses attentes, que ce soit sur le plan de l'expérience ou sur celui des compétences. Bonne nouvelle pour vous : cela vous donne une marge de manœuvre.

Prenons le cas où les compétences exigées pour un poste de gestionnaire de projet seraient les suivantes : être bilingue, connaître le logiciel SAP, avoir une expérience de cinq ans dans le domaine de la gestion immobilière, avoir déjà supervisé une équipe et fait de la gestion de projet.

De votre côté, vous êtes bilingue, vous avez de l'expérience en gestion de projet et avez supervisé du personnel ; en revanche, vous n'avez que trois ans d'expérience en gestion immobilière et vous ne connaissez pas le logiciel SAP. Il y a de fortes chances que vous intéressiez quand même le recruteur.

Le degré d'intérêt de l'employeur pour chaque critère peut varier selon ses priorités et les compétences des autres candidats. Retenez simplement que votre candidature pourra être retenue même si vous ne possédez pas la totalité des compétences exigées. Par contre, si votre seule compétence est la maîtrise du logiciel SAP, oubliez ça !

- **Le diplôme requis**

Ne tombez pas dans le piège de penser que le diplôme exigé est un must. Dans certains cas, le recruteur fera preuve de flexibilité. Si on exige un DEC en finances et que vous avez un DEC en administration option comptable, vous avez des chances, surtout si vous comptez plus d'années d'expérience que celles demandées. Si vous êtes titulaire d'un DEC en sciences, votre candidature devient moins solide.

Par contre, prenons l'exemple d'une entreprise publique qui cherche un comptable avec un diplôme de comptable agréé (CA). Même si vous êtes comptable en management accrédité (CMA) ou comptable général (CGA), il y a peu de chances que vous soyez retenu. Le comptable agréé est le seul qui puisse certifier les états financiers d'une entreprise publique. Il est donc peu probable que l'entreprise soit souple à l'égard de ce critère. L'inflexibilité en matière de diplômes se rencontre souvent pour des emplois très techniques.

- **Les qualités personnelles requises**

  Aucune entreprise ne cherche un imbécile ! On lira donc souvent : « Cherche une personne dynamique, débrouillarde, avec le sens de l'initiative. »

  Certaines offres d'emploi sont cependant plus bavardes. Elles peuvent parler de résistance à la pression, de leadership, d'habileté à mener une équipe... Ces qualités laissent entrevoir un poste de gestionnaire ou comportant des responsabilités. Si vous cherchez un emploi plutôt calme qui vous permet de rentrer à la maison chaque jour à heure fixe, ce poste n'est pas pour vous.

  L'important est de déterminer si ce poste répond à vos attentes et convient à votre personnalité, car il ne sert à rien d'amorcer des démarches si vous savez d'emblée que l'emploi ne correspond pas à votre profil.

Ces éléments qui composent l'offre d'emploi vous permettront de faire l'analyse des liens et des différences que vous avez avec l'entreprise et avec le poste à pourvoir. Prenez conscience de chaque point commun que vous avez avec le profil recherché afin de pouvoir en faire part au recruteur pendant l'entrevue. Notez aussi chaque écart afin de préparer votre réplique quand il soulèvera que votre profil ne correspond pas à un de ses critères.

Imaginons une annonce pour un poste de gestionnaire administratif placée par l'entreprise RONA. Vous répondez à trois critères énumérés dans l'offre : vous connaissez le logiciel AS400, vous avez un bac en administration et de l'expérience dans le domaine du commerce de détail. Cependant, vous n'avez que deux ans d'expérience, alors que le recruteur en demande quatre, et vous n'avez jamais fait de supervision, bien que ce soit un des critères de sélection.

Le fait d'étudier vos atouts et vos faiblesses par rapport à ce qui est demandé dans l'offre d'emploi vous permettra de prévoir comment vous ferez valoir vos forces et de préparer vos répliques pour ce qui concerne vos points faibles. En prendre conscience et se préparer, c'est déjà régler une partie du problème.

DES EXEMPLES D'OBSTACLES À CONTOURNER

1. Vous habitez loin du lieu de travail.

Attendez-vous à ce que le recruteur aborde le sujet pendant l'entrevue. Plusieurs réponses s'offrent à vous : « Je possède une voiture », « Je suis très matinal » ou encore « J'ai l'habitude de faire de longs trajets, même dans la circulation dense. » Si vous avez travaillé dans une entreprise située encore plus loin, citez-la en exemple.

Attention, il ne faut pas lancer d'affirmations sans pouvoir les assumer. Soyez prêt à donner des précisions au cas où le recruteur voudrait creuser. Il peut très bien vous demander : « Qu'est-ce qui vous fait dire que vous êtes si matinal ? » Vous pourrez lui répondre que même la fin de semaine vous vous levez à 7 h, que pour vous le matin est le meilleur moment de la journée et que, par la même occasion, le fait de partir tôt vous fait éviter la circulation de pointe.

2. Il vous manque une année d'expérience par rapport au nombre exigé.

Trouvez ce qui peut compenser cette lacune. Vous pouvez parler de votre sens des responsabilités. Vous pouvez aussi expliquer que, dans votre dernier emploi, même si vous aviez moins d'expérience que vos collègues, votre sérieux et votre professionnalisme vous ont permis de devenir le bras droit du gestionnaire.

Si votre niveau de scolarité est supérieur à celui demandé pour le poste, mentionnez-le ! C'est un autre moyen de combler l'écart.

Vous apprenez vite ? Voilà un autre atout ! Il vaut mieux engager un candidat avec moins d'expérience mais qui a un riche potentiel, plutôt qu'une personne expérimentée qui plafonne.

Si vous manquez encore de crédibilité, abordez certains points techniques du poste afin de mettre en valeur votre compréhension des tâches et votre capacité de les effectuer.

3. Vous êtes surqualifié.

Contrairement à ce qu'on pourrait croire, être trop qualifié pour un emploi est souvent un obstacle. Vous vous dites « l'employeur va être content, je peux largement faire la *job* », mais lui se dit « il va s'ennuyer et nous quitter dans quelques mois ». Il faut donc montrer que votre priorité n'est pas de déployer toutes vos compétences. Précisez que votre objectif premier est, par exemple, d'obtenir un poste permanent dans l'entreprise et que, pour cette raison, vous êtes prêt à commencer au bas de l'échelle.

Si le recruteur vous réplique que vous pourriez trouver chaussure à votre pied dans une autre entreprise, mettez alors l'accent sur les autres avantages que présente ce poste : un horaire flexible, des possibilités d'avancement, l'environnement de travail, le champ d'activité qui vous passionne, la position de leader de l'entreprise dans le marché, etc. Rassurez-le en confirmant que vous êtes surqualifié pour le poste, mais que cela ne pose aucun problème, votre intérêt pour son entreprise et les attraits du poste étant pour vous des critères importants, qui garantissent votre fidélité pour longtemps.

S'il s'agit d'un poste qui présente des possibilités d'avancement, précisez que vos compétences vous permettront d'être très productif une fois en poste et même, à long terme, de gravir les échelons.

Découvrez l'entreprise

Vous devez connaître les informations clés qui concernent l'entreprise où on vous recevra. Vous rendre à une entrevue sans connaître qui vous allez rencontrer serait comme d'aller à un *blind date*. Vous avez raison, un rendez-vous arrangé est très excitant. Le problème, dans le cas d'une rencontre professionnelle, c'est que vous devez **séduire le recruteur sur-le-champ.** Entre nous, il vaut mieux rater une rencontre galante que de manquer une belle occasion professionnelle.

Donc, montrez au recruteur que vous vous intéressez à l'entreprise pour laquelle il travaille. Prouvez-lui subtilement que vous avez fait des recherches, que vous avez pris la peine de vous informer sur les bons coups de cette société, que vous avez consulté des magazines d'affaires qui traitaient de l'entreprise ou encore que vous avez fait l'effort de mettre la main sur son rapport annuel.

Par exemple, quelques jours avant l'entrevue, allez à la réception de l'entreprise demander la documentation qui la concerne. Grâce à cette première visite, vous vous rendrez à bon port au jour J.

Imaginons que dans la documentation, vous trouvez les trois plus récents bilans annuels et remarquez qu'il y a une forte croissance du revenu et du bénéfice annuel. Vous pourrez utiliser cette information quand le recruteur vous demandera pourquoi vous êtes intéressé par son entreprise. Vous lui expliquerez que vous voulez joindre une entreprise en santé et que justement vous êtes au courant que la sienne a connu une croissance soutenue au cours des trois dernières années. Si vous voulez l'impressionner, donnez-lui les données chiffrées.

Être informé sur l'entreprise vous permettra aussi d'avoir un premier sujet de conversation avec le recruteur ; par exemple, vous pourrez prendre des nouvelles à propos de la conquête d'un nouveau marché. Enfin, vous éviterez d'avoir l'air fou quand il vous parlera de la fusion que vient de conclure sa firme avec un grand groupe international.

Des sources d'information sur votre futur employeur

Vous avez vu comment analyser l'information fournie dans l'offre d'emploi et comment l'utiliser. Il ne s'agit cependant pas de la seule source de renseignements. En voici **quatre** autres à votre disposition.

1. Internet

Quelle que soit leur taille, la plupart des entreprises ont aujourd'hui un site Web. Utilisez des outils de recherche comme Google et Yahoo pour le trouver.

Vous ne naviguez jamais sur Internet ? Voici ce qui va vous aider : allez sur Google, tapez le nom de l'entreprise dans la fenêtre et cliquez sur « RECHERCHE ». Un lien vers le site de l'entreprise va s'afficher. Cliquez dessus. Une fois dans le site, explorez les sections qui s'offrent aux internautes.

Prenons l'exemple du site Internet de CGI, lequel est fort bien conçu. Dans la page d'accueil, vous trouverez trois principaux onglets :

- En cliquant sur INDUSTRIES, vous obtiendrez de l'information sur les différents domaines dans lesquels l'entreprise intervient.

- En cliquant sur SERVICES, vous aurez des renseignements sur les différents produits et services de la société.
- Dans la section À PROPOS DE CGI, vous trouverez, par exemple, le nom des membres de la haute direction. Il est toujours bon de connaître le nom du président, de recueillir de l'information sur la culture de l'entreprise, d'être au fait des dernières fusions, de ses plans pour l'avenir…

Dans cette même page, d'autres liens utiles sont accessibles :

- SALLE DE PRESSE est idéal pour vous mettre au courant de l'actualité concernant l'entreprise.
- CARRIÈRES vous informera sur les postes à pourvoir en ce moment. Peut-être trouverez-vous un autre poste qui vous intéressera ?
- INVESTISSEURS vous donnera l'information financière dont vous avez besoin.

Toutes ces données sont fort utiles, mais vous ne trouverez sur le site de l'organisation que l'information qu'elle veut bien véhiculer. Si vous voulez obtenir un autre son de cloche, tournez-vous vers d'autres sources.

2. Les journaux

Suivez l'actualité. Le journal *Les Affaires* est un excellent outil en ce sens. Il n'est pas toujours impératif de trouver de l'information sur l'entreprise, mais se renseigner sur son secteur d'activité peut être utile.

Prenons le cas de Kruger, une entreprise du domaine forestier. Un article du journal *Les Affaires* du 1er avril 2006 mentionne que « Ottawa a gelé les programmes d'aide financière à l'industrie forestière ». Bien que Kruger n'ait pas été citée, elle est quand même touchée par cette mesure. Vous pouvez demander en entrevue : « Comment pensez-vous que Kruger réagira à cette mauvaise nouvelle ? »

3. La documentation de l'entreprise

Il existe un grand nombre de documents publiés par l'entreprise auxquels vous avez accès. Profitez-en.

À la réception, demandez la documentation disponible. On vous remettra sans doute la brochure de l'entreprise mais aussi d'autres imprimés promotionnels ou concernant ses produits. Cette documentation vous renseignera sur la gamme de produits de l'entreprise et vous éclairera sur sa politique promotionnelle : énergique ou non, locale ou nationale, axée sur le produit ou sur le prix...

Si vous n'avez pas eu le temps d'aller chercher la documentation avant votre entrevue, prévoyez quelques minutes pour la consulter juste avant votre rencontre.

4. Votre entourage

Vous avez une entrevue à Hydro-Québec, pour le Groupe Jean Coutu, chez Pratt & Whitney ou encore avec Johnny Lafontaine, président de la PME Johnny Lafontaine & Fils inc., et vous ne connaissez pas l'organisation ? Faites le tour de votre réseau. Il doit bien y avoir quelqu'un, quelque part, en mesure de vous donner de l'information sur le joueur que vous allez rencontrer.

Les gens de votre entourage peuvent souvent vous donner des informations qui ne figurent sur aucun document et qui s'avèrent très pertinentes.

Quoi chercher en particulier

Pas la peine d'apprendre par cœur l'historique de l'entreprise depuis sa création. Votre recherche doit vous permettre de répondre à **11 questions importantes.**

1. Quelle est l'activité de l'entreprise ?

Vous devez être en mesure d'affirmer: « Fasken Martineau est un chef de file parmi les cabinets d'avocats d'affaires au Canada. » Il est capital de pouvoir décrire l'activité principale de l'entreprise et de vous la répéter. Si vous ne savez même pas ce que fait la société où vous posez votre candidature, le recruteur se dira : « Allôôôôôô... réveille ! »

2. Quels événements récents ont coloré le quotidien de cette entreprise ?

On pense ici au lancement d'un produit-vedette, à l'ouverture d'une nouvelle usine, à une grève, une restructuration majeure, un scandale financier, une entrée en Bourse... Allez, faites vos devoirs !

3. Quelle est sa gamme de produits ?

On connaît souvent le produit phare d'une entreprise, mais en creusant un peu, on peut se rendre compte qu'une multitude d'autres produits sont proposés. Si je vous dis Rolls-Royce, vous pensez aux voitures de luxe. Et pourtant, il s'agit là d'une toute petite division en comparaison de l'activité principale de l'entreprise, qui est l'aérospatiale.

4. Quel est son pays d'origine ?

Ce renseignement vous permettra d'entrevoir les grandes lignes de la culture organisationnelle de l'entreprise ou de la gestion des ressources humaines. Par exemple, les entreprises américaines sont orientées vers les résultats. Dans cet environnement de travail, les employés subissent généralement beaucoup de pression et sont très « micro-managés ». Les entreprises d'origine européenne, elles, sont souvent très hiérarchisées et lourdes à administrer. Quant aux entreprises québécoises, elles sont plus conviviales et orientées le plus souvent vers les employés.

Prenons le cabinet d'experts-comptables Demers Beaulne. Contrairement à la majorité des bureaux de vérification, qui sont des environnements de travail difficiles où les employés subissent beaucoup de pression et travaillent de longues heures pour souvent peu de reconnaissance, l'entreprise québécoise Demers Beaulne se démarque avec sa politique de ressources humaines orientée vers le bien-être de son personnel. Elle offre, entre autres choses, un horaire d'été et d'autres conditions avantageuses qui lui assurent une meilleure rétention de ses employés par rapport à l'industrie des bureaux de comptables. Elle a d'ailleurs fait partie, en 2003, du palmarès des 25 meilleurs employeurs du Québec présenté par le magazine *Affaires Plus* et le Cabinet Watson-Wyatt.

Connaître le pays d'origine de l'employeur peut aussi vous donner l'occasion de faire valoir vos connaissances linguistiques. Si vous parlez le suédois et que vous travaillez pour IKEA, vous serez peut-être le seul à comprendre le nom de leurs meubles ! Sérieusement, grâce à vos compétences linguistiques, vous communiquerez plus facilement avec le siège social, si les responsabilités du poste le demandent.

5. Est-ce une entreprise nationale ou multinationale ?

Vous allez me dire : « On s'en fout de savoir si elle est nationale ou multinationale ! » Ce fait a pourtant des conséquences. Par exemple, s'il s'agit d'une multinationale, certains travailleurs verront là une occasion de s'établir à l'étranger tout en conservant le même employeur. Un comptable devinera vite qu'il aura à manipuler des devises étrangères. Si c'est le siège social d'un grand groupe, il y aura probablement de la consolidation à faire et la nécessité de communiquer dans plusieurs langues ; encore une fois, vos connaissances linguistiques peuvent être un atout.

6. Quelle est sa taille ?

En quoi le fait de savoir si c'est une PME, une entreprise familiale ou une grande entreprise peut-il être pertinent pour vous ?

Premièrement, dans la majorité des cas, les grandes entreprises offrent de meilleurs avantages sociaux que les plus petites. Deuxièmement, elles ont des principes directeurs qui régissent le groupe et qui sont surveillés aussi bien par les médias que par d'autres organismes. De ce fait, les grandes entreprises sont souvent moins discriminatoires que les petites entreprises familiales.

Les PME, quant à elles, offrent souvent un environnement de travail plus convivial, où on n'a pas l'impression d'être un numéro.

Enfin, plus une entreprise est petite, plus les tâches sont variées. Par exemple, la réceptionniste peut faire à la fois le service à la clientèle à la réception et rédiger la correspondance du président. L'adjointe du président fera son travail d'adjointe, mais elle s'occupera aussi du recrutement, de la paie, de la comptabilité et de la gestion administrative du bureau.

En revanche, un poste dans une grande entreprise, beaucoup plus structurée, exigera moins de polyvalence et ses tâches seront plus spécialisées. La réceptionniste ne fera que de la réception, l'adjointe du président sera une adjointe plus que confirmée et gagnera quasiment le salaire du contrôleur de la PME. Un représentant se concentrera sur le développement de la clientèle et sera épaulé par un ingénieur pour les questions techniques et par une adjointe pour la paperasse administrative. À l'inverse, dans une PME, ce sera l'ingénieur qui fera croître sa clientèle ou le représentant qui s'improvisera technicien, et chacun s'occupera lui-même de la paperasse.

7. Quel est son chiffre d'affaires ?

Voilà un des indicateurs de la taille de l'entreprise, mais il n'est pas le seul. La réponse à la question suivante vous renseignera aussi sur cet aspect.

8. Combien de personnes emploie-t-elle ?

Certaines entreprises ont un faible chiffre d'affaires, mais beaucoup d'employés, ou vice versa. Il est important de s'appuyer sur plusieurs données afin d'avoir une idée objective de la taille de l'entreprise.

9. Quelle est sa position dans le marché ?

Il est souvent avantageux de travailler pour une entreprise bien positionnée dans son marché. Le numéro un dans son domaine est performant et a plus de chances de durer que ses concurrents. Si vous comptez rester longtemps chez le même employeur, assurez-vous que c'est une entreprise solide, qui s'est taillé une place enviable dans son créneau.

10. Quelle est sa date de création ?

La pérennité d'une entreprise est un signe de solidité. Si elle existe depuis 1920, il y a des chances qu'elle soit gérée sainement et qu'elle dure.

11. Quelle est sa culture d'entreprise ?

Les dirigeants tiennent à embaucher des employés qui partagent leurs valeurs afin que tout le monde travaille dans le même esprit. Si vous connaissez la culture de l'entreprise et qu'elle correspond à vos valeurs, votre employeur et vous serez sur la même longueur d'onde, et la communication n'en sera que plus facile.

C'est une question qui m'a personnellement aidé à trouver mon premier emploi au Québec. Auparavant, je travaillais en France pour Michael Page, un leader du recrutement dans le domaine financier en Europe. C'est une entreprise de culture anglo-saxonne, axée sur les résultats et très vigoureuse commercialement. Au Québec, j'ai concentré mes recherches sur les entreprises de recrutement qui partageaient les mêmes valeurs, afin de gagner en crédibilité et de mettre toutes les chances de mon côté. C'est certainement un élément qui a joué en ma faveur pour l'obtention de mon premier poste.

Chapitre 2

Apprenez à vous vendre

L'idée d'écrire ce livre m'est venue à force de voir des occasions professionnelles ratées, des compétences inexploitées à cause d'erreurs, de maladresses, d'idioties faites ou dites en entrevue. Certains candidats pourraient être de bons employés, mais ils n'arrivent à rien étant donné qu'ils ne sont pas assez convaincants en entrevue pour qu'on leur donne leur chance. Ils ne savent pas se vendre. Je me suis dit qu'il fallait faire quelque chose pour éviter tout ce gâchis, aussi bien pour les employeurs, qui laissent souvent filer de bons candidats, que pour les chercheurs d'emploi eux-mêmes.

Or, se connaître soi-même est primordial. Préparez et analysez votre profil : vous êtes un produit, alors sachez vous vendre.

Faites le bilan de vos compétences

Pour pouvoir parler de vous avec aisance, vous devez d'abord pouvoir résumer vos compétences et les expériences qui vous ont amené à les développer. Cette information se trouve dans votre

CV, que le recruteur aura en main au moment de l'entrevue. Mais ce n'est pas parce que vous avez écrit « Responsable de la coordination dans une maison d'édition » que vous pourrez, devant un étranger qui vous évalue et dans un cadre formel, résumer en trois minutes ce que cette expérience vous a apporté. Pour que votre analyse soit pertinente, vous aurez dû y penser *avant* de vous faire poser la question.

Voici un exemple simple qui vous montrera toute la pertinence de faire votre bilan de compétences, lequel vous permettra d'établir des liens entre votre expérience et le poste convoité.

Imaginons que vous êtes une personne qui a du leadership, de la diplomatie et de la minutie. Vous passez une entrevue pour un poste de chef d'équipe au service à la clientèle d'une entreprise. Le recruteur vous demande : « Quelles sont vos qualités ? » Dans le feu de l'action, vous répondez : «Je suis minutieux et diplomate»... et vous oubliez de mentionner que vous avez aussi du leadership !

Si vous vous étiez préparé, vous n'auriez pas manqué de vous rendre compte que pour un poste de chef d'équipe, vous aviez avantage à mettre de l'avant votre leadership et votre diplomatie, qui sont des qualités essentielles de tout bon gestionnaire, et à taire votre minutie, qui laisse croire que vous vous attardez aux détails et perdez de vue l'ensemble.

Penchez-vous sur votre CV

Il est important de bien connaître son CV pour se sentir à l'aise lorsqu'on en parle. Mémorisez chaque élément du vôtre pour pouvoir fournir des détails. Retenez les dates de début et de fin de chacun de vos postes, les fonctions que vous avez occupées, la raison de chacun de vos départs et le nom de vos supérieurs.

Vous devez mettre en valeur vos réalisations, expliquer vos échecs et les leçons que vous en avez tirées, etc. Entraînez-vous à réciter votre CV, non pas par cœur mais comme si vous le racontiez. Vous devez pouvoir étoffer chaque donnée qui s'y trouve. Par exemple, si le recruteur vous demande : « Parlez-moi de votre DEC » et que vous répondez : « Eh bien… heuuu, voyons donc, mon DEC ? Ha oui, c'est un DEC en comptabilité », vous ne ferez pas très bonne impression !

La réponse suivante aurait un bien meilleur effet : « J'ai obtenu mon DEC en comptabilité au collège Saint-Laurent en 2003. Je me rappelle avoir particulièrement aimé le cours de comptabilité du management et initiation à la culture d'entreprise. Il m'a bien préparé à ma vie professionnelle. J'aimerais pousser un jour mes connaissances plus loin en faisant un bac. »

Faites des listes

Faire son bilan de compétences, c'est, comme son nom l'indique, dresser l'inventaire de ses compétences. Chaque compétence, quelle qu'elle soit, est un atout, une carte que vous pouvez jouer selon les circonstances.

Pour ne pas manquer votre tour, listez à l'avance toutes vos compétences. Vous verrez, en creusant un peu, vous vous découvrirez des atouts que vous sous-estimiez sûrement.

Pour ma part, quand j'étais enfant, j'ai quitté mon pays natal, la Belgique, pour un petit village au sud de la France. J'ai dû m'adapter à un nouvel environnement, à une nouvelle langue, à un nouveau pays. En pleine adolescence, les circonstances m'ont amené à Paris et j'ai dû m'habituer à vivre dans une grande ville.

J'ai fait la navette entre la France et la Belgique et j'ai changé souvent d'école. Par la force des choses, j'ai développé ma capacité d'adaptation, à mon environnement et aux gens qui m'entourent. Je suis aussi à l'aise avec un militant de Greenpeace qu'avec un avocat conservateur. C'est une faculté dont je n'étais pas forcément conscient mais qui m'a grandement aidé à mon arrivée au Québec. Je n'hésite plus aujourd'hui à souligner cette faculté si j'en ai besoin et j'arrive à en convaincre mon interlocuteur en utilisant des exemples. Chaque expérience est enrichissante !

Pour ne rien oublier au moment où vous dresserez vos listes, inspirez-vous des sujets suivants.

- **Vos formations**

  Notez votre parcours scolaire, bien sûr, mais ajoutez-y aussi toutes les autres formations, même les plus anodines. Vous avez suivi un cours de réanimation cardiorespiratoire d'une fin de semaine ? Inscrivez-le. Cette formation est impérative pour les employés travaillant dans les CPE. Vous avez suivi quelques cours de psychologie ? Cela peut être un atout pour un poste en ressources humaines.

- **Les langues que vous parlez**

  Vous avez des notions de chinois ? La Chine prend une part de plus en plus importante dans le gâteau des puissances économiques mondiales. Nombreuses sont les entreprises qui tiennent compte de cette nouvelle donne.

  Les entreprises comme Bell, où le service à la clientèle est une priorité, sont à l'affût des candidats polyglottes.

- **Les entreprises et les industries pour lesquelles vous avez travaillé**

De manière générale, c'est un avantage d'avoir travaillé dans la même industrie que l'entreprise où vous postulez. Même si c'est une expérience brève et lointaine, ne la négligez pas. Certains postes demandent la combinaison de diverses expériences. C'est le cas de l'institution financière qui cherche un coordonnateur pour son service des investissements immobiliers. Le professionnel qui combinera une expérience pertinente en finances avec une expérience en immobilier sera probablement le mieux placé pour obtenir le poste. Les stages et les expériences à l'étranger peuvent aussi être utiles.

- **Les postes et les fonctions que vous avez occupés**

Oui, ils figurent déjà dans votre CV, mais vous pouvez les mettre en valeur. Prenons une personne qui a travaillé en tant que superviseur dans un McDonald's il y a quelques années, mais qui néglige de mentionner cette expérience qu'elle ne considère pas pertinente. Aujourd'hui représentante sur la route, elle est très intéressée par une offre d'emploi publiée dans le journal: «Une PME cherche un gestionnaire des ventes.» Or, elle se décourage en voyant qu'on exige une expérience de deux ans dans un poste similaire.

Si cette personne avait pris le temps de faire le bilan de tous ses emplois, elle se serait rendu compte que son expérience de superviseur chez McDonald's, soulignée par la recommandation enthousiaste que lui avait promise la direction et combinée avec ses quatre années d'expérience en vente, aurait pu être utile à l'obtention de ce poste.

- **Vos réalisations et vos réussites**

  Pas besoin d'avoir gravi l'Everest. Bien sûr, si vous avez fait de grandes choses, comme sauver une vie ou traverser l'Atlantique à la rame, n'hésitez pas à le dire ! Mais vous pouvez aussi trouver la réussite dans le quotidien : vous avez fondé une famille saine et équilibrée, obtenu un diplôme en étudiant à temps partiel, effectué une démarche spirituelle, cultivé un jardin botanique dans votre cour... L'important, c'est de parler fièrement de vous, de vous estimer.

- **Votre expérience en formation ou en supervision de personnel**

  Si vous avez déjà supervisé des gens dans un contexte professionnel, mentionnez-le. Si vous n'avez pas d'expérience de supervision et que l'emploi l'exige, il faudra montrer votre leadership autrement. Par exemple, parlez de la formation que vous avez donnée à de nouveaux employés, de votre rôle de capitaine d'une équipe sportive que vous avez menée à la victoire ou de la façon dont vous avez pris les choses en main dans une situation critique.

- **Vos qualités extraprofessionnelles**

  Vous pouvez parler de votre volonté de toujours aller au bout des choses, de votre attitude positive, de votre tendance à voir le verre à moitié plein plutôt qu'à moitié vide, de votre générosité et de votre passion pour la vie. Vous pouvez parler de votre intérêt pour la culture. Par exemple, votre plaisir à vous, c'est d'aller voir un spectacle avec des amis et de finir la soirée devant un bon repas tout en discutant de la représentation.

- **Les défis que vous avez relevés**

  Une de mes clientes, et amie de surcroît, a tout récemment relevé un défi de taille : même si elle n'avait jamais vécu ce genre d'expérience, elle a eu le courage de se lancer, avec une amie, dans le Rallye Aïcha des Gazelles, une course, en quatre-quatre, de 2 500 kilomètres dans le désert marocain. En plus de l'enrichissement personnel qu'elle y a trouvé, elle ne manquera pas de mettre en valeur le défi logistique et organisationnel qu'elle a dû surmonter : la recherche des commanditaires, du matériel, etc.

- **Vos engagements et vos actions bénévoles**

  Un bel exemple pourrait être le parrainage d'un enfant du tiers-monde ; ce geste demande un engagement durable. Les actions bénévoles, comme les services rendus à une œuvre de charité, soulignent un côté travaillant et ouvert sur le monde.

- **Vos compétences en informatique**

  À moins que vous exerciez un métier de l'informatique, dressez la liste des logiciels que vous maîtrisez : Word, Excel, Outlook, systèmes ERP (SAP, ADP...). Mentionnez également les logiciels moins connus ; ils peuvent même faire la différence.

Évidemment, vous éviterez d'apprendre vos petites listes par cœur et vous les laisserez à la maison. Pour être vraiment à l'aise en entrevue, il ne faut pas apprendre les choses par cœur, mais plutôt les visualiser, les comprendre. Faites l'exercice de creuser chacun des sujets évoqués précédemment ; vous serez mieux préparé et vous vous rendrez compte que vous avez finalement beaucoup de choses à dire.

Efforcez-vous de cibler les renseignements qui sont pertinents pour l'emploi. Vous gagnerez en confiance. Par la suite, faites l'effort de vous les remémorer régulièrement afin de les exprimer de façon naturelle en entrevue.

Montrez-vous sous votre meilleur jour… et évitez les pièges !

Surtout, ne tombez pas dans le piège du mensonge et de la « survente ». D'une part, le mensonge est inefficace, car le recruteur le décèle facilement ; d'autre part, il est très dommageable, car il discrédite l'ensemble de votre profil.

Quant à la survente, elle présente deux risques. Premièrement, si vous tombez sur un gestionnaire qui veut tester vos connaissances et ce que vous avancez, vous allez vite y perdre des plumes. Deuxièmement, si vous arrivez tout de même à vous faire embaucher, vous risquez de ne pas être à la hauteur une fois en fonction.

En fait, vous devez vous présenter sous votre meilleur jour, en fonction de ce que vous avez appris des besoins de l'entreprise. Vous avez vu dans la section « Analysez l'offre d'emploi » comment mettre en valeur vos compétences en lien avec le poste et comment réduire l'effet négatif de vos lacunes. Je vous donne un exemple plus concret.

Imaginons que vous avez deux rendez-vous galants au programme. Vous êtes une personne vraiment orientée *business,* une bête de somme qui se sent à l'aise dans la jungle urbaine du centre-ville… En même temps, vous êtes un épicurien qui aime aussi profiter de la nature et prendre du bon temps de façon simple en appréciant le bruit d'un ruisseau.

La première personne que vous rencontrez et à qui vous voulez plaire est plutôt bohème, peu matérialiste ; elle s'attarde à l'essentiel dans la vie. La seconde est fan de magasinage et fréquente les restaurants branchés du centre-ville. Chef d'entreprise, elle gagne beaucoup d'argent.

Vous présenter sous votre meilleur jour ne signifiera pas la même chose pour chacune de vos rencontres.

Vous rencontrez la première dans un endroit calme, en tenue décontractée. Vous lui parlez du dernier livre que vous avez lu, du *Fabuleux destin d'Amélie Poulain,* et vous l'invitez ensuite dans un endroit paisible pour regarder un magnifique coucher de soleil en dégustant un succulent sandwich végétarien. Quand elle vous demande ce que vous faites durant la semaine, vous lui expliquez que vous avez une vie active, c'est pourquoi vous aimez prendre du bon temps dans des endroits calmes.

Quant à la seconde personne, vous l'invitez plutôt dans un bar branché du centre-ville, tiré à quatre épingles, et vous lui parlez du rythme effréné de votre vie professionnelle. Quand elle vous demande si vous avez d'autres champs d'intérêt, vous lui répondez que de temps en temps vous aimez réduire la pression en vous promenant dans un parc ou en lisant un bon roman…

Pour une entrevue d'embauche, c'est la même chose : selon l'employeur que vous rencontrez, vous mettez en lumière le côté qui lui plaira et atténuez l'importance de celui qui l'intéresse moins. Vous êtes le même candidat qui se présente aux deux entrevues, mais vous expliquez votre réalité d'une façon différente d'un employeur à l'autre.

Analysez vos forces et vos faiblesses

Il importe de lister clairement ses forces et ses faiblesses en général, ou pour un poste en particulier. Vous vous connaissez, vous savez ce que vous valez et vous êtes conscient des points forts et des points faibles de votre personnalité et de votre parcours.

Voici des exemples de points forts que vous pourrez mettre en valeur et de faiblesses qu'il faudra justifier.

- *Points forts sur le plan personnel.* Vous êtes travaillant, vous avez un excellent sens de l'analyse, une grande capacité de concentration, et vous gérez très bien la pression. Travailler des heures supplémentaires ne vous dérange pas, vous êtes trilingue (français, anglais, chinois), vous êtes sociable et apprécié de vos collègues, vous êtes particulièrement habile en informatique et vous apprenez vite.

- *Points forts concernant votre parcours professionnel.* Vous avez une belle stabilité dans vos expériences et vous avez occupé des postes fournissant toujours plus de responsabilités. Vous avez toujours travaillé en gestion immobilière, ce qui vous donne une véritable expertise dans ce domaine. Vous avez travaillé pour des entreprises de grande renommée.

- *Points faibles sur le plan personnel.* Vous êtes impatient, émotif, nul en informatique, timide et désorganisé.

- *Points faibles concernant votre parcours professionnel.* Vous êtes plutôt instable : le début de votre carrière est plus impressionnant que ce que vous avez fait récemment et votre CV comporte un trou de deux ans.

Apprenez à parler de vos forces et de vos faiblesses

Énumérer ses qualités et connaître ses défauts est une chose, pouvoir en parler et les démontrer ou les justifier en est une autre. Voici quelques exemples qui vous aiguilleront sur la façon de faire.

- **Une force : vous êtes travaillant**

  Quand vous travailliez pour Bombardier, vous restiez le soir afin de terminer les rapports d'analyse de production nécessaires à la rencontre du lendemain matin. Vous n'avez pris aucune journée de maladie en quatre ans. Votre conjointe se plaint souvent du travail que vous ramenez à la maison la fin de semaine. Vous ne supportez pas l'inactivité et occupez votre temps libre de façon positive et créative. Vous êtes convaincu que l'individu se réalise dans son travail.

- **Une force : vous avez un excellent sens de l'analyse**

  Vous étiez employé au service informatique d'une grande entreprise manufacturière. Chaque mois, les usines de production vous envoyaient des rapports listant les problèmes informatiques qu'éprouvaient les employés des chaînes de montage. Les rapports étaient rédigés par différentes personnes expliquant souvent maladroitement les problèmes. C'est à vous qu'on avait confié la tâche de déchiffrer et d'analyser ces rapports afin d'apporter les pistes de solution.

- **Une faiblesse : vous avez un trou dans votre CV**

  Vous avez réalisé votre rêve de voyager ? Vous avez prolongé votre congé de maternité parce que vous trouviez important de consacrer du temps à votre enfant ? Vous avez suivi une formation dans le but d'amorcer un virage dans votre carrière ? Dites-le ! L'important est de montrer que cette pause était un choix assumé de votre part et non une fatalité.

Par contre, **si cette longue absence du marché du travail était involontaire,** avouez-le tout en expliquant comment vous avez mis à profit cette période. Vous avez suivi des cours d'anglais, vous en avez profité pour construire votre maison, vous êtes parti à l'étranger avec Médecins sans frontières...

Et si vous n'avez pas su en profiter, trouvez le moyen de montrer que vous avez tiré une leçon de ce passage à vide et que cette mauvaise période n'a fait que renforcer votre motivation à donner le meilleur de vous-même. Après la restructuration qui vous a coûté votre poste, vous avez décidé de vous reposer pendant un an. Quand vous avez entrepris une recherche d'emploi par la suite, vous vous êtes rendu compte que cette année complètement inactive est devenue un obstacle à votre embauche. Après deux ans d'absence sur le marché du travail, une entreprise vous a finalement réembauché. Vous éviterez maintenant les arrêts de travail prolongés et, si jamais vous y étiez contraint, vous en profiteriez pour mettre vos connaissances à jour.

- **Une faiblesse : vous n'êtes jamais resté plus d'un an dans une entreprise**

Première option : vous vouliez expérimenter plusieurs secteurs d'activité avant de choisir celui qui vous convenait le mieux. Les conclusions que vous avez tirées de ces diverses expériences sont que vous voulez travailler dans telle industrie (celle de l'entreprise où vous postulez) à tel poste (celui que vous désirez aujourd'hui).

Deuxième option : vous avez souvent déménagé, vous avez fait plusieurs contrats ou encore, vous avez joué de malchance en ayant été victime de plusieurs restructurations, peut-être même de la faillite de vos employeurs.

Troisième et dernière option : vous avez la bougeotte ! Si ce mode de vie vous convient, je vous conseille de vous orienter vers les emplois temporaires, car vous aurez de plus en plus de mal à trouver un poste permanent. Si vous en avez assez de cette instabilité, exprimez cette émotion. Expliquez que vous avez tiré des leçons de vos expériences et que ce que vous cherchez désormais, c'est un poste stable et permanent. Votre ras-le-bol de la variété ne fait que renforcer votre désir de stabilité.

Beaucoup de bonnes raisons peuvent expliquer votre manque de stabilité. Si vous êtes pris de court devant un recruteur, vous risquez de ne pas les trouver. Voilà pourquoi vous devez faire le point sur votre situation **avant** de le rencontrer.

Votre CV montre que vous êtes instable ? Comment pouvez-vous expliquer cela ? Faites la liste de toutes les raisons qui sont en cause et retenez celles qui sont les moins compromettantes. Comment pouvez-vous en parler ?

Cet exercice est capital, car il vous empêchera d'être déstabilisé quand le recruteur commencera à vous titiller sur un sujet qui vous est, de prime abord, défavorable.

Après l'analyse de l'offre d'emploi et ce bilan de vos compétences, vous pourrez personnaliser votre candidature, minimiser les éléments de votre parcours qui ne cadrent pas avec le poste et souligner les aspects positifs de votre profil.

Chapitre 3

Préparez-vous aux questions du recruteur

Le recruteur vous posera une multitude de questions dans le but de mieux vous connaître et de voir si votre personnalité correspond à la culture de l'entreprise et au poste à pourvoir.

Les employeurs brossent souvent un profil général de candidat qui convient à l'entreprise, axé principalement sur la personnalité, le tempérament et l'apparence. Vous imaginez bien qu'en ce qui concerne l'allure du personnel, un cabinet d'avocats a des attentes qui diffèrent de celles d'une entreprise de conception de jeux vidéo ! Des profils plus précis sont ensuite déterminés selon le poste.

Dans d'autres entreprises, ces profils ne sont pas couchés sur papier, mais ne vous laissez pas leurrer : ils sont ancrés dans les mentalités. En fait, le recruteur cherche à savoir si vous « fitez » dans l'équipe.

La plupart du temps, **on vous posera des questions ouvertes** qui vous obligeront à développer vos réponses. Vous ne pouvez répondre par oui ou par non à une question ouverte, par exemple : « Que vous ont apporté vos études ? »

Des questions fermées peuvent aussi être posées. Dans ce cas, répondez par oui ou par non, mais ne vous arrêtez pas là : justifiez toujours votre réponse. Si vous vous contentez de donner des réponses très brèves, le recruteur vous considérera comme quelqu'un de fermé qui a du mal à communiquer. De plus, il sera frustré, car il n'aura pas l'occasion de vous connaître en profondeur.

Une bonne entrevue devrait ressembler à une discussion, un dialogue. Ce n'est pas un interrogatoire ni un questionnaire à choix multiples. Pour atteindre cet idéal, préparez-vous à alimenter la conversation et à étoffer vos réponses. **La pertinence de vos réponses démontrera au recruteur que vous êtes la personne qu'il recherche.** Gardez à l'esprit que la façon dont vous vous êtes préparé aux questions, la façon dont vous répondez, la façon dont vous réagissez pendant l'entrevue est à ses yeux le reflet de votre façon de travailler. Il se fiera à votre comportement pour évaluer vos performances en milieu professionnel.

Les questions les plus fréquentes

Une multitude de questions classiques reviennent dans presque chaque entrevue. Elles concernent votre personnalité, votre expérience, l'entreprise et le poste à pourvoir. Vous verrez dans les sections suivantes comment vous préparer à y répondre.

Outre les questions classiques, bien d'autres questions sont envisageables, chacune visant un objectif précis. Certaines peuvent parfois vous paraître anodines ; elles sont en fait posées pour valider une information. Une réponse douteuse de votre part peut entacher votre candidature.

Le but d'une question n'est pas toujours évident. Il s'agit donc de l'analyser afin de découvrir ce qui se cache derrière et de voir où le recruteur veut en venir.

De manière générale, **vos réponses devront traduire un comportement raisonnable et non excessif.** Ces questions non orthodoxes peuvent être des pièges, des questions sur votre vie privée ou simplement des questions dont la bonne réponse est évidente.

Sachez que, dans tous les cas, la pire des réponses est de ne pas en avoir.

Les questions sur votre personnalité

Étant donné que vous êtes potentiellement la personne qui occupera le poste, il est normal que l'employeur cherche à vous connaître *vous*, et pas seulement vos expériences.

« Parlez-moi de vous. »

Il est assez curieux de constater que certains candidats s'attendent uniquement à des questions techniques, directement liées au poste ou à leurs compétences. Malheureusement, ils se retrouvent pris de court devant une question aussi simple que « Parlez-moi de vous ».

Pourtant, c'est souvent la première question que pose le recruteur. **Préparez une brève réponse d'une minute et demie qui fait un rapide survol de votre vie.** Commencez par votre lieu de naissance, votre enfance, puis parlez de votre scolarité, de vos études, de votre vie familiale, de votre parcours professionnel et, enfin, dites comment vous êtes arrivé là. Énumérez aussi vos champs d'intérêt et décrivez brièvement votre caractère. Donnez les grandes lignes, le recruteur vous demandera au besoin des précisions.

Essayez de susciter la curiosité du recruteur. Évitez les termes vagues. Donnez des exemples précis de ce que vous aimez et de ce qui vous démarque. Soyez imagé.

Omettez les détails et n'essayez pas de tout dire : vous n'êtes pas en train de faire une autobiographie. Cela doit rester synthétique.

Chacun a son parcours, et je ne peux résumer votre vie à votre place. Je peux par contre vous donner le ton avec un exemple qui vous montrera bien comment la même histoire peut être ennuyante ou excitante, selon la façon dont elle est racontée. Remarquez la différence.

«Je suis né à Montréal. Mes parents n'étant pas très riches, je n'ai jamais voyagé sauf une fois au Mexique. J'ai fait un DEC en chimie. Pour ce qui est de mon caractère, je suis une personne qui donne son 100 %.»

«Je suis né à Montréal et je suis pas mal tout le temps resté au Québec. N'ayant jamais eu l'occasion de voyager étant jeune, j'ai pendant longtemps poursuivi un même but : celui de découvrir le Mexique. J'ai travaillé fort pour l'atteindre et je l'ai enfin réalisé à la fin de mon DEC en chimie. Je me suis rendu compte qu'avec des rêves et des objectifs on pouvait réaliser beaucoup de choses.»

«Depuis, je me fixe souvent des objectifs à atteindre, aussi bien dans ma vie personnelle que professionnelle. J'aime me donner à fond dans tout ce que je fais et je ne lâche pas le morceau. Je suis le genre de personne qui aime les énigmes et qui se casse la tête jusqu'à ce qu'elle trouve!

«Dans la vie de tous les jours, je suis plutôt calme et à ma place. J'aime les bonnes choses, comme les sorties entre amis, le vin et les hamburgers, mais je ne suis pas excessif, sauf dans le sport! J'en fais beaucoup en tant qu'amateur, surtout des sports de plein air. Ma passion, c'est le rafting, qui réunit tout ce que j'aime dans un sport: l'adrénaline, le travail d'équipe, l'eau, des rapides et des périodes plus calmes qui nous laissent profiter de la nature.

«Pour finir, j'ajouterais qu'on me décrit souvent comme quelqu'un d'équilibré qui prend quand même soin d'avoir du plaisir.»

Pas la peine de vous dire quelle version touchera le plus le recruteur. Encore une fois, la façon dont vous parlez de vous et de votre vie est un bon indicateur de votre façon d'aborder les choses: ou vous êtes passif, ou vous êtes passionné!

« Quels sont vos passe-temps ? »

Vos activités en disent long sur vous. Vous imaginez bien qu'on ne se fera pas la même idée d'une personne qui passe toutes ses journées devant sa télé ou son ordinateur que d'une personne qui lit, pratique un sport d'équipe et fait du bénévolat.

Essayez de faire ressortir les activités et les passe-temps qui démontrent votre capacité de socialiser et d'être à l'aise dans une organisation. Si, par exemple, vous êtes membre de la Jeune

Chambre de commerce, c'est le moment de le mentionner. Si vous êtes président bénévole du club sportif de votre enfant, cela montrera votre leadership et votre dévouement à votre famille.

Expliquez aussi ce que vous apporte chacun de vos champs d'intérêt. Le golf vous apaise ou vous oblige à vous concentrer et à vous maîtriser ; le soccer vous incite à travailler en équipe ; la course à pied vous donne de l'endurance et vous a appris à persévérer ; le bénévolat vous procure le sentiment d'être utile à la société ; construire des maquettes vous oblige à être précis et minutieux ; écouter de la musique vous rend simplement heureux ; jouer de la batterie vous défoule, etc.

Le plus important est de ne pas sécher devant cette question. Si vous avez l'air de ne vous intéresser à rien, le recruteur l'interprétera comme un manque de curiosité et de motivation.

Voici un exemple de mauvaise et de bonne réponse.

«Je m'intéresse beaucoup à la cuisine et à la lecture.»

«J'adore cuisiner. Avant tout, j'aime bien manger, mais la cuisine développe beaucoup ma créativité. C'est aussi pour moi une source de discussions et de rencontres. Je suis inscrit à un site où on échange des recettes et des trucs culinaires. J'aime aussi lire. La lecture stimule mon imaginaire et me donne l'occasion de déconnecter complètement.»

« Quelles sont vos qualités ? »

Là encore, essayez de décrire des qualités qui sont en lien avec le poste. Par exemple, pour un poste en comptabilité, dites que vous êtes précis et minutieux, que vous avez toujours été cartésien et méthodique. Pour un poste au service à la clientèle, dites que vous entrez facilement en communication avec autrui et que vous êtes à l'aise au téléphone. Pour un poste manuel, précisez que vous êtes habile.

Attention, toutefois : certaines qualités peuvent être vues comme des défauts dans un contexte particulier. Durant une entrevue pour un poste au service à la clientèle dans un salon funéraire, si vous déclarez avoir un excellent sens de l'humour et que vous faites rire le monde, il va y avoir comme un malaise…

Fournissez deux ou trois qualités pertinentes, pas plus. Pour ne pas paraître prétentieux, commencez votre phrase par « On dit de moi que… ». Et n'oubliez pas de trouver des exemples pour les illustrer.

Si vous dites que vous vous impliquez beaucoup dans votre travail, vous pouvez donner l'exemple d'un projet que vous avez réalisé chez votre plus récent employeur. Précisez que vous y avez consacré beaucoup d'énergie et de temps pour le concrétiser dans les délais. Vous pouvez aller plus loin en expliquant que cela ne vous dérangeait pas, car ce projet vous tenait vraiment à cœur.

Imaginons que vous postulez à un poste de gestionnaire. Attention, un poste de supervision ne demande pas les mêmes aptitudes qu'un poste d'exécutant. Voici deux façons de répondre à la question : « Quelles sont vos qualités ? »

«Je fais très attention aux détails.»

Cette réponse n'est pas idéale, car un gestionnaire doit plutôt avoir une vision d'ensemble. Si en plus vous êtes perfectionniste, tant mieux, mais ce n'est vraiment pas la première qualité à mentionner.

«Avant tout, je pense être un visionnaire. Le président de la PME où j'ai travaillé vous le confirmera sûrement. Il m'avait confié être insatisfait de sa politique de vente. Sans qu'il me le demande, je lui avais suggéré certaines idées pour établir une politique commerciale à long terme. Mes idées lui démontraient que les ventes se stabiliseraient peut-être pendant un an ou deux, mais qu'elles grimperaient par la suite. Il m'a remercié et s'est inspiré de mes idées pour réviser son système. Mes anciens employés disaient aussi souvent que j'étais un bon meneur d'équipe. Ma porte est en effet toujours ouverte et j'essaie d'être à l'écoute. Il en résulte une entente et un esprit d'équipe très motivants pour eux.»

Pourquoi pensez-vous que la deuxième réponse est préférable ? Les qualités sont en lien avec la fonction, elles sont assorties d'exemples et elles sont vérifiables. En disant que vous avez suggéré des idées sans que votre supérieur vous ait sollicité, vous soulignez par la même occasion votre sens de l'initiative.

Maintenant, placez-vous dans la situation suivante : vous passez une entrevue pour un poste d'agent de recouvrement dans une agence.

«Je suis très franche, je dis la vérité telle qu'elle est.»

La franchise est une vertu. Dans ce cas-ci, toutefois, le recruteur craindra que vous manquiez de tact avec les débiteurs et que vous leur serviez le genre de réplique suivante: «Vous nous devez 6 000 $, vous devez payer, vous n'avez pas le choix. Si vous refusez, nos avocats seront chez vous dans 48 heures.»

«Je suis diplomate mais ferme et je sais me mettre du côté des gens tout en les dirigeant vers mon objectif. D'ailleurs, dans mon dernier emploi, c'est à moi qu'on avait confié la responsabilité de former les nouveaux agents de l'équipe.»

Le recruteur se rendra compte que vous savez y faire et que votre méthode sera plutôt d'amadouer les débiteurs afin d'obtenir le paiement des comptes en souffrance.

«Quels sont vos défauts?»

Soyez malin, taisez ces vilains défauts qui nuiraient à votre candidature. Par exemple, ne dites pas que vous êtes malhonnête, menteur, que vous avez du mal à évoluer en société, que vous êtes aussi fermé qu'une huître ou encore incontrôlable! N'affirmez pas non plus que vous n'avez pas de défauts, car vous paraîtrez prétentieux. Ne répondez surtout pas: «Je ne sais pas.» Vous auriez l'air de mal vous connaître.

Parlez plutôt des défauts de vos qualités et ajoutez toujours que c'est un défaut dont vous avez bien pris conscience et que vous travaillez à le corriger. Un défaut avoué est à moitié pardonné...

Pensez par exemple à des qualités mentionnées précédemment qui, poussées à l'excès, deviennent des défauts. Vous êtes trop minutieux ? Avouez que quelquefois ce comportement nuit à votre rapidité d'exécution, mais que vous essayez de vous corriger. Vous entrez facilement en communication avec les gens ? Or, cela vous rend un peu bavard. Vous en êtes conscient et vous vous efforcez de raccourcir vos séances de bavardage.

« Comment réagissez-vous au stress ? »

Vous prenez deux Valium, vous fermez les yeux et vous attendez que votre malaise passe ? Cette réponse vous assoirait sur un siège éjectable, mais ce n'est pas la seule à éviter.

« Oh, je suis déjà une personne stressée, il m'arrive de paniquer. Pour éviter cela, je délègue les tâches afin d'alléger mes responsabilités. »

Le recruteur vous dira : « Et s'il n'y a personne à qui déléguer ? » Vous voilà coincé !

« Je garde mon calme, je fais le bilan de la situation et ensuite j'agis en gérant les priorités. »

Le recruteur enchaînera peut-être avec : « Qu'est-ce que c'est, pour vous, agir en gérant les priorités ? » Une bonne réponse pourrait être celle-ci : « Je fais une liste de toutes les tâches que j'ai à accomplir, ensuite je les classe par ordre d'importance. J'évalue le délai qui m'est alloué et je m'occupe en premier de ce qui ne peut pas attendre. J'évalue aussi l'importance de la tâche : le rapport que je dois rendre au président est plus important que la formation que je dois donner au nouveau commis de bureau. Enfin, je cible les tâches clés, celles que je dois faire pour permettre aux autres d'avancer. Par exemple, si le commis de bureau, une fois formé, peut faire en sorte que le rapport au président soit prêt plus rapidement, il sera pertinent de former le commis plutôt que de perdre beaucoup de temps à monter le rapport. Je dresse mon plan d'action à partir de ces critères. »

« Pourquoi avez-vous choisi cette formation ? »

Évitez de dire que vous y êtes arrivé par hasard. Expliquez plutôt qu'elle correspondait en tous points au métier que vous vouliez faire. Les employeurs cherchent en effet des gens qui savent où ils s'en vont et qui mènent leur vie en fonction des objectifs qu'ils se sont fixés.

Si vos aspirations professionnelles ne correspondent pas à votre formation, expliquez que, étant jeune, vous ne saviez pas encore où vous dirigez et que justement, grâce à vos études dans ce domaine, vous vous êtes rendu compte que vous deviez réorienter votre carrière.

Vous êtes en entrevue pour un poste de responsable des communications.

1. ***Première hypothèse : vous n'avez pas étudié dans le domaine où vous voulez travailler.***

« À la fin de mon secondaire, je ne savais pas dans quel programme m'inscrire, alors j'ai finalement choisi la formation que mes parents voulaient que je suive. »

«Étant encore trop jeune, je ne savais pas vraiment quelle était ma voie, alors j'ai choisi de faire un DEC en administration, une formation que je trouvais assez générale. Ce que j'attendais de cette formation, c'était justement qu'elle me fasse découvrir les différentes facettes du monde du travail. Comme j'ai adoré mon cours de communication, j'ai décidé, parallèlement à ma vie professionnelle, de faire à temps partiel un bac en communications.»

2. ***Seconde hypothèse: vous avez étudié dans le domaine où vous désirez travailler.***

«Il est vrai que j'ai un bac en communications. C'est pourquoi je pose ma candidature pour votre poste. J'aime assez ce que je fais, mais mon rêve aurait été d'étudier en histoire de l'art et de devenir enseignant. Je n'ai aujourd'hui plus le courage de recommencer des études.»

La première phrase n'était pas terrible, mais le pire était à venir: en mentionnant votre rêve de faire autre chose, vous manquez une belle occasion de vous taire!

«Après mon DEC, j'ai utilisé tous les outils qui étaient mis à ma disposition par le ministère de l'Éducation pour trouver ma voie. Je suis allé voir un conseiller d'orientation et, après l'analyse des différentes options, j'ai choisi de faire un baccalauréat en communications. Je suis très satisfait de ce choix et je compte maintenant poursuivre mes études à temps partiel pour obtenir une maîtrise en communications.»

Cette dernière réponse montrera que vous avez agi intelligemment, en toute connaissance de cause. Le recruteur sera rassuré sur le fait que vous vous sentirez à l'aise dans le poste et que vous serez fidèle à l'employeur, car l'emploi qu'il vous propose cadre avec ce que vous aimez et avec votre plan de carrière.

Les questions sur l'entreprise

Inévitablement, votre interlocuteur se préoccupera de l'intérêt que vous avez pour sa compagnie. Il vous posera des questions sur l'entreprise afin de savoir comment et dans quelle mesure vous vous êtes informé sur elle. Si vous avez pris la peine de bien cerner son environnement, il comprendra que vous avez réellement envie de joindre ses rangs.

« Connaissez-vous notre entreprise ? »

Voilà l'occasion parfaite de déballer tout ce que vous avez appris au cours de vos recherches d'information (au besoin, reportez-vous à la section « Découvrez l'entreprise »). Vous pouvez vous préparer à cette question en traçant un portrait sommaire de l'entreprise.

Disons que vous passez une entrevue avec un recruteur d'Astral Media.

« Astral est une grande entreprise de médias télévisés : elle a plusieurs chaînes de télévision afin d'atteindre un vaste public. »

«Astral est une entreprise canadienne publique fondée en 1961. C'est un des chefs de file dans le monde des médias. Elle est présente dans presque toute la gamme des médias : radio, télévision et affichage. Dirigée aujourd'hui par Ian Greenberg et André Bureau, elle emploie plusieurs milliers de personnes et a eu un bénéfice net en 2005 de 107 millions de dollars. L'entreprise se porte très bien et affiche d'ailleurs une forte croissance au deuxième trimestre de 2006.»

Il n'est pas nécessaire de dire tout ce que vous savez. Il faut être bref et ne pas jouer toutes ses cartes dès le début.

Imaginez maintenant que vous êtes en entrevue pour un emploi au Cirque du Soleil.

«Le Cirque du Soleil est un grand cirque québécois. Il est parti de rien et est devenu une grande entreprise.»

«Le Cirque du Soleil est né au début des années 80, d'une idée farfelue de quelques jeunes qui voulaient "réinventer le cirque". Ils ont commencé simplement, en se donnant en spectacle dans les rues. Le concept a rapidement plu à des investisseurs et le Cirque, allant de succès en succès, est aujourd'hui une entreprise emblématique du Québec. Il emploie plusieurs milliers de personnes et produit des spectacles dans le monde entier. Vous êtes notamment bien présent à Las Vegas, où vous produisez plusieurs shows permanents.

> **«Bien qu'un partenariat avec le Casino de Montréal a récemment avorté, vous ne manquez pas de projets et d'idées. Présentement, plusieurs projets sont en cours à Singapour et aux États-Unis, où se prépare un spectacle sur Elvis alors que celui sur les Beatles vient de prendre l'affiche. Le président, Guy Laliberté, est un success story à lui tout seul. C'est aussi un homme très engagé, qui s'implique beaucoup auprès des jeunes en difficulté.»**

«Pourquoi voulez-vous travailler pour notre entreprise?»

Même si c'est le cas, évitez de dire que c'est parce que le poste est à temps partiel ou que l'entreprise est juste à côté de chez vous. Cela démontrerait un certain manque d'intérêt. Essayez de démontrer un réel intérêt pour l'entreprise, son environnement et le poste; vous rassurerez ainsi le recruteur au sujet de vos motivations.

Répondez plutôt que vous avez toujours voulu travailler dans ce secteur d'activité. S'il s'agit d'une petite entreprise, précisez que vous considérez sa taille comme un avantage, car les tâches sont plus variées. Si l'entreprise est de grande taille, dites que vous désirez travailler dans une grande entreprise parce qu'elle a une structure solide. Ou encore parce que cette entreprise est en pleine croissance, parce qu'elle est le leader de son marché... Vous pouvez aller plus loin en expliquant que vous partagez les valeurs de l'organisation, que vous croyez en ses produits et que vous seriez fier de travailler pour une entreprise qui a de l'éthique, qui cherche à se démarquer des autres. Bref, montrez de l'intérêt!

Vous êtes en entrevue pour un poste de gestionnaire de projet à la Croix-Rouge.

«Eh bien, premièrement, mon mari travaille ici, ce sera donc facile pour le transport. Deuxièmement, c'est une grande entreprise humanitaire qui offre aussi de bons avantages sociaux.»

«J'ai toujours voulu travailler pour un organisme humanitaire, il est important pour moi de savoir que je contribue à un monde meilleur. Vous allez me dire: "Mais pourquoi la Croix-Rouge ? Il y a beaucoup d'autres organismes humanitaires."

«Je vous répondrai que je suis particulièrement attirée par la diversité de vos réalisations. Vous intervenez aussi bien ici qu'ailleurs dans le monde, dans des projets de grande envergure ainsi que dans des projets communautaires, comme les soins à domicile. Vous vous investissez auprès des sinistrés et vous bâtissez des programmes de prévention. Vous sensibilisez par exemple les parents aux dangers que présentent les piscines gonflables.

«J'aime travailler à des projets variés qui demandent une approche différente chaque fois. Je pense que la Croix-Rouge et ce poste peuvent répondre à mes attentes.»

La première réponse est un enchaînement de gaffes. Premièrement, il faut taire les éléments superficiels, comme la proximité du lieu de travail. Deuxièmement, ne dites jamais d'entrée de jeu qu'un de vos proches, *a fortiori* votre conjoint, travaille dans l'entreprise. Peut-être que le recruteur ne peut pas sentir cette personne. Il peut aussi penser que vous lui servez cette information pour obtenir un traitement de faveur ou encore que le fait de travailler avec votre conjoint vous distraira tous les deux. Bien sûr, quand il entend «grande entreprise humanitaire», son sourire revient... pour disparaître aussitôt qu'il s'aperçoit que vous ne mettez pas l'accent sur « humanitaire » mais sur « grande entreprise », en enchaînant tout de suite avec les avantages sociaux.

La première phrase de la deuxième réponse, elle, est digne du concours Miss Univers ! Et la suite est suffisamment étoffée pour convaincre le jury – et le recruteur – de vos motivations. Vous ne soulignez pas uniquement votre intérêt philanthropique, vous démontrez aussi comment la Croix-Rouge répond à vos attentes personnelles et professionnelles.

Les questions sur le poste

Les recruteurs cherchent du personnel motivé et expérimenté. Ils veulent savoir si vous posez votre candidature parce que le poste revêt un réel intérêt à vos yeux ou simplement parce que vous n'avez pas vraiment d'autre option. Ils le sauront en évaluant si vous avez une bonne idée de ce qui vous attend.

« Comment définiriez-vous ce poste ? »

Reformulez l'offre d'emploi : c'est un poste dont les fonctions sont X et qui exige les qualités Y. Faites le lien avec votre personnalité et vos atouts.

Vous posez votre candidature pour un poste d'adjoint administratif d'un service de 10 employés.

« J'imagine qu'il faut être travaillant et à l'écoute. »

«Je suis conscient que je serai la personne-ressource pour l'ensemble du service et que cela me demandera de bien gérer mes priorités et les urgences, d'être à l'écoute et de communiquer aussi bien avec mon équipe qu'avec des ressources externes. Je vais devoir m'investir, travailler sous pression et donner mon 110 %. De toute façon, je n'hésite jamais à rester un peu plus tard au travail de façon à ce que mon équipe puisse bien fonctionner le lendemain. Je dirais même que des délais serrés sont pour moi une source de stimulation.»

Remarquez le possessif « mon équipe » dans la deuxième réponse, comme si vous en faisiez déjà partie. C'est une bonne façon de montrer votre engagement.

« Quelles sont vos principales qualités en lien avec le poste ? »

Là encore, faites preuve de bon sens. Remémorez-vous l'offre d'emploi et reprenez les qualités énoncées ou, encore mieux, des synonymes. Appuyez vos dires avec des exemples concrets.

Si vous postulez, comme dans l'exemple précédent, un emploi d'adjoint administratif au sein d'un service de 10 personnes, mettez en lumière votre bilinguisme. Dites que vous aimez communiquer, que vous aimez qu'on vous donne des responsabilités et être une pièce stratégique de l'équipe. Vous êtes organisé, capable de mener plusieurs dossiers de front, de bien évaluer les urgences et les tâches qui peuvent attendre. Donnez un exemple de vos expériences passées qui confirment vos dires, comme dans la bonne réponse qui suit.

Vous passez une entrevue pour un poste de recherchiste au quotidien *La Presse.*

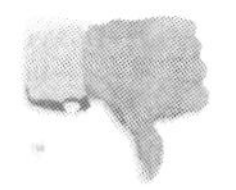

«Je suis une personne empathique et généreuse.»

Bravo, on est content pour vous, mais vous n'avez pas amélioré vos chances d'avoir l'emploi.

«Je suis une personne débrouillarde et autonome. Lors de mon dernier emploi, au bout de deux semaines, mon superviseur est parti deux mois en congé de maladie. La direction était assez paniquée, car non seulement elle avait une personne en moins, mais il n'y avait plus de responsable pour me superviser.

«La directrice pensait avoir besoin d'embaucher une ressource temporaire, mais elle s'est rapidement rendu compte que je me débrouillais pour aller chercher l'information qui me manquait et que je n'avais pas vraiment besoin de supervision. Elle a réparti les tâches de mon superviseur et a ainsi évité de recruter quelqu'un pour deux mois.»

« Qu'est-ce qui vous attire dans ce poste ? »

Votre réponse doit traduire un véritable intérêt pour le poste et l'entreprise, et non pour des raisons superficielles, comme la proximité de votre domicile ou le salaire. Passez sous silence que vous avez un ami qui y travaille ou encore que vous avez répondu à 15 annonces au hasard et que cette entreprise est la seule à vous avoir convoqué.

Bien sûr, ces éléments peuvent faire partie de vos critères de décision, mais le recruteur doit sentir que vous agissez pour des raisons propres à l'entreprise et au poste ; cela le rassurera. Par exemple, dites-lui que le poste vous intéresse pour les responsabilités qu'il exige, parce qu'il est compatible avec votre expérience passée et que le secteur dans lequel se situe l'entreprise est celui dans lequel vous voulez travailler. Parlez du fait que les fonctions correspondent exactement à ce que vous cherchez, qu'il vous permettra de vous perfectionner, même si vous avez déjà de l'expérience, et d'acquérir éventuellement de nouvelles connaissances.

Le recruteur pourrait essayer de vous coincer en disant qu'il n'a pas besoin de quelqu'un qui apprendra de nouvelles choses mais de quelqu'un qui est opérationnel immédiatement. Il veut jouer à ça ? D'accord ! Clouez-lui le bec en répliquant que si vous faites de nouveaux apprentissages, ce n'est pas pour vous mettre à jour, mais plutôt dans le but de surpasser les attentes.

«Je suis attiré par votre poste, car c'est un environnement uniquement francophone et je suis nul en anglais, donc ça m'arrange!»

Même si l'environnement est francophone, ça risque de ne pas arranger le recruteur que vous soyez nul en anglais…

«Je suis attiré par cet emploi, car contrairement à beaucoup de postes de superviseur qui n'impliquent que de la gestion d'employés, cet emploi me permettra de gérer du personnel tout en gardant mes fonctions opérationnelles. C'est précisément ce que je recherche.»

« Que pensez-vous nous apporter ? »

Votre réponse à cette question est cruciale ! Démontrez encore une fois que vos points forts correspondent aux qualités nécessaires pour ce poste, que vous êtes plus motivé que les autres. Ajoutez que vous êtes très intéressé par le poste et par l'entreprise, où vous rêviez de travailler. Dites que votre expérience passée vous a préparé à ces fonctions et que vous vous sentez plus que prêt à relever le défi que présente cet emploi.

Si vous venez d'une grande entreprise et postulez dans une petite entreprise, expliquez que votre expérience dans une société d'envergure vous a donné une méthode de travail structurée et efficace et que vous êtes aujourd'hui prêt à mettre en pratique vos compétences dans une plus petite organisation. Votre expérience passée vous a permis d'avoir une autre vision du travail, vous pourrez apporter de ce fait une nouvelle dynamique dans la PME.

Imaginons que vous passez une entrevue pour un poste de représentant dans une entreprise qui veut commercialiser un nouveau produit.

«Je suis un excellent vendeur, le meilleur!»

Pas sûr qu'on vous croira sur parole...

«Je suis un bon vendeur et je suis la personne idéale pour commercialiser votre nouveau produit. Lors de ma dernière expérience professionnelle, je m'occupais d'entretenir et d'alimenter les ventes des produits déjà connus de notre clientèle, mais aussi de commercialiser les nouveaux.

«Je prenais soin de connaître à fond toutes les caractéristiques des nouveaux produits, je présentais la nouveauté à notre clientèle et je ciblais aussi d'autres clients qui pouvaient potentiellement être intéressés. J'établissais par la suite un premier contact

en faisant de la sollicitation pour obtenir des rendez-vous. J'allais moi-même rencontrer les clients afin de leur présenter notre innovation. Une fois le produit lancé, je formais les autres représentants sur les techniques de vente particulières à ce produit afin qu'eux aussi puissent le distribuer.

«Je suis tout à fait à l'aise pour commercialiser de nouveaux produits et même capable de monter une équipe de vente spécialisée, si nécessaire.»

« Pensez-vous développer ce poste ? »

Ici, il faut combiner ambition et modestie. La façon dont vous répondrez permettra au recruteur de saisir si vous êtes une personne qui fonce tête baissée sans réfléchir ou si vous avancez de façon intelligente et réaliste.

«C'est clair, vous allez voir, je vais complètement transformer ce poste.»

Comment pourriez-vous en être si sûr alors que vous n'en connaissez pas encore tous les rouages ?

«Je ne mets pas la charrue avant les bœufs. Mon premier objectif est de bien remplir la mission qui m'est confiée. Je tiens à bien maîtriser toutes les tâches. Une fois à l'aise dans mes fonctions et avec le consentement de la direction, je pourrai prendre plus de responsabilités et participer au développement du poste, par exemple par l'amélioration des procédures ou l'optimisation du travail de chaque employé.»

D'autres questions, d'apparence anodine

Certaines questions qui paraissent inoffensives constituent en fait un véritable baromètre de votre personnalité. Quelles sont vos valeurs, vos priorités ? Qui êtes-vous derrière les apparences ? Voilà ce qu'on cherche à découvrir à l'aide de ces questions.

« De quelle réalisation êtes-vous fier ? »

Vous pouvez parler d'un succès professionnel ou personnel, d'une réalisation concrète, d'un projet dans lequel vous vous êtes surpassé. Pour ma part, une réalisation dont je suis fier est d'avoir écrit et publié mon premier livre.

En réponse à cette question, un candidat me racontait qu'il avait participé à un triathlon. Au début, son objectif était de terminer la course. Voyant que, finalement, il se débrouillait bien, au fil de la course, son objectif a changé. Il est passé du désir de terminer la course à celui de la gagner. Il a terminé 7e sur 400 participants. Il était fier d'avoir terminé dans le top 10, mais surtout d'avoir évolué pendant l'épreuve, gagné en confiance et de s'être surpassé. Il était fier d'avoir tant appris d'une simple course. Qu'a-t-il appris ? Qu'il ne devait pas se sous-estimer.

« Quel est l'événement qui vous a le plus marqué ? »

La réponse que vous donnerez en dira long sur vos priorités dans la vie, sur vos valeurs. La naissance de votre enfant mettra en évidence des valeurs familiales, les attentats du 11 septembre montreront votre sensibilité envers l'humanité, le titre de meilleur employé de l'année qu'on vous a décerné prouvera que vous accordez beaucoup d'importance à votre vie professionnelle, le *Boxing Day* chez Walmart… ne dites pas ça !

« Quelle est la personne qui vous a le plus marqué ? »

Nommez qui vous voulez, mais expliquez aussi ce que vous a apporté cette personne, comment elle vous a fait grandir et, surtout, pourquoi elle vous a marqué. Ne soyez pas gêné de nommer un membre de votre famille. C'est sûr que « Mon père, car il m'a donné l'éducation qui m'a permis de réussir dans la vie » est une meilleure réponse que « Céline Dion, car j'adore sa musique ».

Le recruteur trouvera votre réponse plus crédible si vous parlez d'un membre de votre entourage direct (collègue, parent ou ami), d'une personne accessible avec qui vous avez pu communiquer et entretenir une relation, bref, d'une personne qui a réellement eu une influence positive sur vous, que si vous évoquez les vieux clichés du genre le pape, mère Teresa ou Donald Trump. Il est possible que Donald Trump vous inspire, qu'il soit votre modèle de réussite, que vous lisiez ses livres et suiviez sa vie dans les journaux dans l'espoir d'avoir un jour le même succès que lui… Cependant, vous ne jouez pas les bonnes cartes en donnant cette réponse : on dirait que personne autour de vous ne vous inspire !

« Lisez-vous ? »

Encore une fois, ne vous contentez pas de répondre oui. Vos lectures permettent au recruteur de mieux vous connaître, d'avoir une idée de votre ouverture d'esprit et de votre soif de culture. Parlez en premier lieu du type de lecture que vous aimez, donnez un ou deux titres et expliquez pourquoi ce genre vous plaît.

Par exemple : « J'aime les livres historiques. Mes préférés sont *Les rois maudits*. Je suis un passionné d'histoire et la lecture est pour moi une façon agréable de la découvrir. »

« Lisez-vous des journaux ? »

Vous devinez que cette question équivaut à vous demander si vous vous intéressez à l'actualité et si vous êtes ouvert à votre environnement. Vous pouvez aussi parler des autres médias que vous consultez et pourquoi. Si vous lisez *La Presse* ou le journal *Les Affaires,* n'hésitez pas à les mentionner. Si vous ne lisez pas de journaux, vous pouvez répondre que vous préférez suivre l'actualité à la radio ou à la télévision, mais que vous êtes abonné à *Science & Vie,* car vous êtes un mordu de sciences.

« Quel est votre film préféré ? »

La Société des poètes disparus fera un meilleur effet que *Robocop.* Si vous tenez mordicus à *Robocop,* expliquez-en les raisons. Par exemple, vous êtes un passionné d'effets spéciaux ou de science-fiction. Encore une fois, le plus important est d'expliquer de façon rationnelle votre choix. Si vous dites « j'aime *Robocop* parce que c'est un film devant lequel je n'ai pas besoin de réfléchir », il y a des chances que vous passiez pour un être passif intellectuellement. Vous aimez les films qui ne sont pas des casse-tête ? N'arrêtez pas votre explication ici. Ajoutez que vous lisez des ouvrages philosophiques, que vous réfléchissez beaucoup dans votre vie professionnelle mais qu'au cinéma, vous appréciez un bon film d'imbécile pour décompresser de temps en temps. Si vous parlez d'un « bon film d'imbécile », vous ferez un peu d'humour par l'autodérision, ça passera mieux !

« Vous intéressez-vous aux nouvelles technologies ? »

Votre réponse donnera une idée de votre aisance avec les outils informatiques et du temps qu'on mettra à vous former aux technologies de l'entreprise. Si vous avez un réel intérêt pour les technologies, si vous faites des dessins 3D ou de la musique à l'aide de l'ordinateur à la maison, si vous voulez toujours être le premier à acheter les gadgets électroniques, allez-y, dites-le.

Si le mot «technologie» évoque seulement la fois où vous avez lancé votre téléphone cellulaire dans votre écran d'ordinateur parce qu'aucun des deux ne fonctionnait, n'en parlez pas: rassurez plutôt votre interlocuteur en trouvant un aspect de la technologie que vous maîtrisez. Par exemple, dites que vous avez déjà travaillé avec le logiciel Word, que vous savez faire des macros avec Excel, que vous connaissez déjà le système qu'utilise l'entreprise. Si vous n'avez jamais touché à un ordinateur de votre vie, vous pourriez affirmer que vous apprenez vite.

«Quels objectifs vous êtes-vous fixés dernièrement?»

Il vaut mieux avoir des objectifs, même peu ambitieux, et savoir où on s'en va dans la vie. Avoir des objectifs, c'est aller de l'avant. Cela peut être d'arrêter de fumer comme d'obtenir un meilleur emploi cette année. L'important est de montrer que vous avez un but.

«Que vous ont apporté vos études?»

C'est l'occasion pour vous de démontrer comment vos études vous ont préparé à occuper le poste qui vous intéresse. Par exemple: «Mes études m'ont appris à être organisé et m'ont fourni de bonnes bases techniques. Grâce aux stages que j'ai faits, je me suis rapidement rendu compte que je voulais me spécialiser dans ce domaine.»

«Comment réagissez-vous devant un échec?»

Vous en profitez pour faire l'analyse de votre échec afin de ne pas répéter la même erreur.

« Qu'est-ce que le succès ? »

Une réponse simple et bonne est : « Pour moi, le succès c'est d'être Heureux avec un grand H. C'est finalement le but ultime que chacun essaie d'atteindre. Être heureux signifie que rien ne nous manque et que nous avons atteint tous nos principaux objectifs. Je pense que c'est une belle illustration du succès. »

Vous pouvez aussi répondre que le succès, c'est de dépasser les attentes. Atteindre ses cibles, c'est la norme, un minimum ; les dépasser, c'est le succès.

Ce ne sont là que quelques exemples parmi les nombreuses réponses possibles.

« Avez-vous déjà dirigé une équipe ? »

Si c'est le cas, parlez de la façon dont vous supervisiez votre équipe, de vos méthodes de motivation, de la place que vous accordiez à l'écoute de vos employés, de la manière dont vous favorisiez l'harmonie au sein de votre groupe.

Si vous n'avez jamais dirigé une équipe dans un environnement professionnel, démontrez votre leadership autrement. Vous êtes peut-être chef scout, président d'une association ou d'un conseil d'anciens élèves…

« Qu'attendez-vous de ce poste ? »

On peut espérer plusieurs choses lorsqu'on envisage un nouveau poste : obtenir une promotion, se donner des possibilités d'avancement, acquérir une nouvelle expérience, mais le principal, mis à part gagner sa vie, c'est de se faire plaisir. Si vous n'aimez pas ce que vous faites, vous ne dépasserez jamais les attentes. Vous pouvez donc répondre que ce que vous attendez de cet emploi est d'acquérir votre première expérience en supervision, mais aussi d'avoir un emploi grâce auquel vous allez pleinement vous épanouir et faire ce que vous aimez.

« Selon vous, ce poste est-il très exigeant ? »

Si on vous pose cette question, c'est que la réponse est oui. On veut juste savoir si vous en êtes conscient et si vous fournirez une contribution en conséquence. Vous pouvez donc répondre : « Oui, je pense qu'il demande beaucoup de travail. De toute façon, je cherche à travailler fort, sinon je m'ennuie. Plus je travaille, plus j'ai du plaisir. »

« Si demain vous êtes engagé, par quoi allez-vous commencer ? »

Ne faites pas comme cet imbécile à qui on dit « cours et traverse cette grande feuille de papier », alors que derrière il y a un mur de briques...

Vous pouvez répondre que, dans un premier temps, vous prendrez une journée pour faire le tour de l'entreprise, parler avec vos collègues de leur travail, de ce qu'ils attendent de vous, de ce qu'ils pensaient du travail de votre prédécesseur, etc. Vous voulez vous informer sur les priorités et les méthodes de chacun, vous imprégner de votre environnement afin d'agir de façon appropriée. Une fois que vous aurez cette information en main, vous pourrez cibler les priorités et vous atteler à la tâche. Si, par exemple, vous remarquez que vos collègues se plaignent de la mauvaise exploitation de la base de données par votre prédécesseur, vous commencerez par la mettre à jour.

« Qu'attendez-vous de votre superviseur ? »

Posez cette question au recruteur avant même qu'il vous la pose. Demandez-lui quel est le type de gestion de votre éventuel supérieur. Vous aurez votre réponse ! Si le recruteur vous prend de vitesse, parlez de vos attentes en restant assez neutre, par exemple : « Je m'attends à ce qu'on puisse avoir une bonne communication et à ce qu'il fixe des objectifs clairs. »

« Comment vous êtes-vous informé sur notre entreprise ? »

Parlez de tous les moyens énumérés précédemment. Par exemple : « Je m'intéresse à votre industrie, je connais notamment votre entreprise grâce aux journaux. Comme j'avais une entrevue aujourd'hui, je suis aussi allé sur votre site Internet et je me suis procuré votre documentation. J'ai ainsi appris que vous aurez bientôt une nouvelle filiale en Europe. »

Les questions pièges

Une question piège est une question dont la réponse semble évidente, mais dont la bonne réponse dépend souvent du contexte de l'employeur. Ce n'est pas toujours celle que l'on croit. On évaluera aussi souvent la façon dont vous répondrez plutôt que la réponse en tant que telle. Vous allez comprendre en lisant ces exemples.

« Pourquoi avez-vous quitté votre emploi ? »
ou
« Pourquoi voulez-vous quitter votre emploi actuel ? »

Le premier conseil que je vous donne ici est de **ne jamais dire de mal de votre ancien employeur.** Cela pourrait être vu d'un très mauvais œil, même si c'est un concurrent. Le second est de **ne pas**

mentir, mais dans certains cas, de tourner la vérité à votre avantage. De nombreuses réponses sont envisageables selon la raison de votre départ.

Vous avez été licencié pour incompétence.

Évidemment, il serait suicidaire d'avouer votre incompétence, ce qui explique que votre employeur vous a mis à la porte. L'exercice consiste ici à mettre en contexte ce licenciement en listant toutes les causes ; certaines sont nuisibles, mais d'autres sont tout à fait justifiables.

Il est possible, par exemple, que la relation entre vous et la direction se soit petit à petit envenimée à cause de certaines divergences d'opinions ou d'une mésentente avec une autre ressource. Ce contexte vous a démotivé et votre travail s'en est ressenti. Les deux parties ont donc finalement décidé de se séparer amicalement au moyen d'un arrangement qui s'est traduit par un licenciement. Voilà des explications qui feront comprendre à votre interlocuteur que, malgré cette expérience qui s'est mal terminée, vous êtes apte à exercer des fonctions similaires.

Votre « incompétence » peut aussi s'expliquer par l'erreur de jugement qu'a commise votre ancien employeur dès votre embauche. S'il vous a recruté pour pourvoir un poste qui ne correspondait pas à votre expérience et qu'il ne vous a pas donné les outils nécessaires à votre réussite, c'est lui qui s'est trompé. Prenez toutefois soin de décrire les faits **sans jamais juger votre ancien employeur.** Surtout, ne faites pas de commentaires négatifs, du genre : « Il n'a rien compris », « C'est lui qui est incompétent », « Tout est de sa faute… »

Vous avez vécu un conflit de personnalités.

Contentez-vous de dire que vous aviez une incompatibilité de caractères avec une personne et que vous avez décidé de quitter votre employeur. **Surtout, ne critiquez pas votre collègue avec qui cela se passait mal, pas plus que votre ex-employeur.** Vous pouvez dire sur quels points vous étiez en désaccord, mais ne portez pas de jugement. N'avancez surtout pas que vous aviez raison et que l'autre avait tort ou ne savait pas de quoi il parlait.

Vous travailliez trop.

À la question piège sur les motifs de la rupture du lien d'emploi, ne répondez jamais : « Je travaillais trop. » Le recruteur risquerait de vous prendre pour quelqu'un qui veut se la couler douce, ce qui ne veut pas dire qu'il ne comprendrait pas un employé qui trouve qu'il travaille trop par rapport à ce qu'il gagne ou à ce qu'il pourrait gagner ailleurs. Exprimée ainsi, cette raison devient acceptable et même logique. Si c'est le cas, expliquez que vous vous sentiez exploité et que vos heures supplémentaires n'étaient pas rémunérées. Vous pouvez dire aussi que le salaire que vous receviez ne justifiait pas la quantité et la qualité du travail que vous fournissiez et que vous recherchez aujourd'hui un employeur qui appréciera votre contribution à sa juste valeur.

Vous aviez envie d'expérimenter autre chose.

Là, le recruteur pensera que vous allez remettre ça et quitter votre nouvel employeur au bout de quelques mois sur un simple coup de tête. Démontrez que vous aviez fait le tour du poste en parlant de quelle façon vous maîtrisiez chaque compétence et chaque fonction, prouvez que vous dépassiez les attentes, précisez que aviez atteint les limites que le poste pouvait vous offrir. Vous manquiez de stimulation et vous voulez maintenant relever un nouveau défi et mieux exploiter votre potentiel. Vous vous sentez prêt à passer au stade supérieur.

Pour justifier votre envie de quitter votre poste, vous pouvez énumérer ses inconvénients : peu de possibilités d'avancement, un employeur plutôt fermé au changement et aux initiatives des employés, un superviseur qui n'est pas à l'écoute, absence d'avantages sociaux... Je suis sûr qu'en y pensant bien, vous trouverez deux ou trois aspects de votre poste qui vous déplaisent au point qu'ils peuvent justifier votre besoin d'aller voir ailleurs.

Faites toutefois attention de ne pas retrouver ces lacunes chez cet employeur éventuel, car le recruteur en tirera rapidement des conclusions.

Vous travailliez trop loin de chez vous.

Si vous dites que c'était là le principal motif de votre départ, le recruteur va penser que vous êtes paresseux et que vous voulez entrer au service de son entreprise pour des considérations pratiques et non par intérêt. Procédez en deux étapes : justifiez votre départ, puis montrez-lui de l'intérêt.

Vous pouvez dire que la distance est une des raisons de votre départ, mais noyez le poisson avec d'autres justifications : par exemple, vous ne vous plaisiez pas dans l'industrie et vous voulez plutôt vous orienter vers leur domaine. Les raisons exposées à la question précédente sont également valables.

Montrez maintenant un intérêt soutenu pour cet employeur éventuel. Si l'industrie est la même que celle de votre ancien employeur, vous pouvez souligner que vous appréciez beaucoup la façon dont l'entreprise s'est démarquée de ses concurrents et que vous êtes enthousiaste à l'idée d'y travailler.

Vous avez été victime d'une restructuration, de la fermeture de l'entreprise, d'une suppression de poste ou d'une fin de contrat.

Dites-le, tout simplement. Afin que le recruteur ne pense pas que vous vous servez de cette restructuration pour cacher une situation plus douteuse, donnez votre ancien employeur en référence ; il confirmera que vous avez bien été victime d'une restructuration et non d'un congédiement.

Bien d'autres raisons peuvent expliquer que vous avez quitté un emploi, mais ce qui est important est de présenter votre départ comme une solution logique et cohérente. **Faites un inventaire complet des raisons qui vous ont poussé à partir**, éliminez celles qui vous nuisent et **conservez celles qui vous arrangent.** Je le répète, ne mentez jamais, mais présentez les faits de façon à ce qu'ils vous avantagent.

« Comment voyez-vous l'évolution de votre carrière ? »

Le recruteur veut savoir si vos espérances correspondent à ce qu'il peut vous offrir de manière à ce que vous vous sentiez à l'aise en poste et que vous restiez un bon moment chez votre nouvel employeur. L'objectif d'un recruteur est de trouver un bon candidat mais aussi de s'assurer qu'il reste longtemps dans l'entreprise. En effet, chaque recrutement représente un coût et du temps pour l'employeur. Plus un employé a de l'ancienneté, plus il connaît son poste ainsi que l'entreprise, plus il est efficace.

Le recruteur doit donc s'assurer que les plans du candidat sont les mêmes que ceux de l'employeur. Si les plans sont différents, l'entente ne sera pas optimale.

C'est donc à vous de découvrir le potentiel d'évolution du poste. Comment ? En posant la question avant que le recruteur vous la pose. Demandez quelles sont les possibilités d'avancement à court, moyen ou long terme.

S'il vous dit qu'il n'y a pas de promotion possible mais que vous êtes toujours intéressé par le poste, précisez que vous cherchez principalement la sécurité d'emploi et un poste dans lequel vous vous sentez bien. Dites que votre objectif n'est pas de monter dans la hiérarchie. Dans ce cas, vous pouvez préciser que votre conjoint est celui des deux dans le couple dont la carrière est la plus importante ; quant à vous, vous voulez juste un poste dans lequel vous serez épanoui et peu stressé.

Si vous avez la possibilité de grimper les échelons et que c'est ce que vous cherchez, confirmez que cela répond à vos attentes et faites ressortir ce qui vous permettra de monter : parlez de vos diplômes, des études que vous comptez poursuivre, des formations que vous aimeriez suivre, de votre potentiel, de vos ambitions, de votre facilité d'adaptation, de votre soif d'apprendre, de la façon dont vous avez cheminé dans vos emplois précédents, de l'expérience de supervision que vous avez acquise, de votre sens des responsabilités, etc.

« Où vous voyez-vous dans cinq ans ? »

Imaginons que vous êtes en entrevue devant le contrôleur d'une PME pour un poste d'adjoint au contrôleur. Vous voyez qu'il est assez jeune et qu'il se rapporte lui-même au président. Si vous répondez à cette question par « Dans cinq ans, je me vois contrôleur », les conclusions qu'il en tirera sont soit que vous voudrez prendre sa place, soit que vous quitterez l'entreprise. Une bonne réponse pourrait être : « On verra selon les occasions, mais je n'en suis pas là. »

Dans la majorité des cas toutefois, on cherche des candidats motivés et ambitieux. Si vous avez l'intention de gravir les échelons, il va de soi que vous ferez de votre mieux pour accomplir vos tâches. Si les occasions sont bien présentes, vous pourriez répondre ceci : « J'aime évoluer. Il est certain que je tenterais de saisir les occasions qui se présentent à l'interne, surtout qu'idéalement j'aimerais accéder à un poste de stratégie financière grâce auquel je pourrais faire des analyses stratégiques et apporter des recommandations à la direction. Un poste d'analyste principal, par exemple, me plairait bien. »

« Avez-vous mené une vie associative active pendant vos études ? »

On veut savoir ici si vous êtes quelqu'un d'impliqué et d'entreprenant. C'est une façon détournée de vous poser la question suivante : « Pensez-vous vous investir dans votre travail et dans notre entreprise ? »

Si vous avez été actif dans les associations étudiantes, dites-le en énumérant vos activités et vos réalisations. Sinon, parlez des autres activités dans lesquelles vous vous êtes impliqué. Vous rassurez ainsi votre interlocuteur sur le fait que vous étiez actif étant jeune.

Si vous n'aviez pas d'engagements communautaires, vous pouvez faire référence à vos activités sportives. Si vous ne faisiez pas de sport, peut-être étiez-vous vraiment très occupé par vos études ou obligé de travailler afin de les financer. C'est une raison valable, il suffit de le dire !

« Avez-vous d'autres pistes d'emploi ? »

Avec cette question, le recruteur veut découvrir si vous êtes un candidat en demande et aussi mesurer l'intérêt que vous portez à son employeur.

Si vous avez réellement plusieurs pistes d'embauche, le mieux est de dire que vous en avez une ou deux autres, mais que vous placez celle-ci en priorité. Si vous dites que oui, en effet, vous avez déjà rencontré cinq employeurs, dont quatre pour une deuxième entrevue, il pensera qu'il a une faible probabilité de retenir votre attention et se tournera peut-être vers d'autres candidats. En disant que vous en avez une ou deux autres, il sera rassuré mais tentera d'accélérer le processus pour être le premier à vous faire une offre.

Évitez de dire qu'il est votre seule avenue, car le recruteur croira que votre profil n'attire pas les autres employeurs et qu'il est peut-être en train de commettre une erreur en vous engageant. Si vous l'intéressez, il pourrait aussi croire qu'il a tout le temps de voir s'il ne peut pas trouver mieux, ce qui ralentirait le processus.

Si vraiment vous n'avez aucune autre piste, vous pouvez le dire en précisant, premièrement, que vous en êtes au tout début de votre recherche d'emploi, deuxièmement, que vous ciblez les employeurs à qui vous soumettez votre candidature et que, pour le moment, il est le seul qui vous intéresse. Vous confirmerez ainsi votre intérêt pour son entreprise, il sera rassuré et probablement flatté.

Un bon recruteur voudra certainement en savoir plus sur les autres occasions d'emploi que vous avez, notamment parce que vous êtes pour lui un moyen de prendre le pouls du marché, de savoir quelles entreprises recrutent et quels types de profils sont en demande. Libre à vous de nommer les entreprises, mais il comprendra que vous vouliez garder l'information confidentielle.

« *Sortez-vous beaucoup ?* »

Si cette question vous est posée par une personne dans un bar, probablement qu'elle cherche juste à vous connaître et que la réponse l'intéresse vraiment. En revanche, si un recruteur vous la pose, c'est qu'il veut tirer des conclusions de votre réponse !

Imaginons que vous postulez un emploi de représentant. Le recruteur espère découvrir ici un travailleur sociable mais qui ne tombe pas dans les excès. Il veut savoir si vous allez arriver en forme et à l'heure chaque jour au travail, mais aussi si vous saurez rapidement mettre à l'aise et en confiance sa clientèle. Répondez que vous sortez régulièrement mais uniquement la fin de semaine. Avec cette réplique, vous démontrerez que vous êtes à la fois sociable et raisonnable.

« *Que feriez-vous si vous vous rendiez compte qu'un de vos collègues falsifie des rapports ?* »

Je vous l'accorde, cette question est vache. Le recruteur veut tester à la fois votre honnêteté et votre solidarité envers vos collègues.

Une bonne réponse serait de dire que vous iriez d'abord voir votre collègue afin qu'il cesse ses activités illicites et que, si cela a déjà eu des conséquences, vous tenteriez de le convaincre d'en parler lui-même à la direction. Dans un deuxième temps, s'il continue ses fraudes, après l'avoir prévenu, vous iriez en parler au responsable.

Les questions sur votre vie privée

Il se peut que le recruteur vous pose des questions sur votre vie privée. Surtout, ne le prenez pas mal, c'est pour mieux vous connaître et non par pure curiosité. De manière générale, **il veut savoir si votre vie privée ne sera pas un obstacle à votre réussite** dans le poste. Le recruteur veut valider des points concernant vos disponibilités, votre famille, la place que prend le travail dans votre vie et l'importance que vous accordez à votre carrière. Répondez intelligemment aux questions de cet ordre sans donner trop de détails.

« Avez-vous des enfants ? »

Si vous en avez, précisez que vous êtes bien organisé avec votre conjoint pour la garde et le transport des enfants, de manière à ce que le recruteur se rende compte que votre famille n'engendrera pas de retards chroniques au travail. S'ils sont grands, précisez-le, cela peut faire une différence.

« Êtes-vous enfant unique ? »

Selon les préjugés, les enfants uniques sont plus capricieux, solitaires et moins sociables. Si vous n'avez ni frère ni sœur, dites-le, mais soulignez que vous ne vous êtes jamais considéré comme un enfant unique, car vous avez été élevé parmi vos cousins et cousines. Vous pouvez également expliquer de quelle façon vous avez rapidement été mêlé à d'autres enfants : à la garderie, dans le voisinage, dans des camps de vacances...

Si vous avez des frères et sœurs, vous n'avez pas à ajouter d'autres détails.

« Quelle est la profession de votre conjoint ? »

On veut savoir si la carrière de votre conjoint sera un obstacle à la vôtre. S'il a une profession qui l'oblige à déménager souvent ou, à l'inverse, si son métier lui interdit toute mobilité, taisez cette information.

« Quelle est votre situation familiale ? »

Un : le recruteur veut savoir si vous avez un milieu familial équilibré ; deux : il veut s'assurer que votre famille n'occupe pas toute la place dans votre vie. Si vous êtes célibataire et avez une vie amoureuse plutôt mouvementée, évitez de dire que vous changez de partenaire toutes les deux semaines et qu'en ce moment vous êtes épris d'une personne que vous avez rencontrée grâce à Internet et qui habite à l'autre bout du monde ! Répondez honnêtement, sans donner trop de détails.

Faites attention, les recruteurs sont des professionnels et ils abordent souvent les questions personnelles ou délicates sans même que vous vous en rendiez compte. Prenons par exemple le sujet des enfants. Alors que vous jasez simplement avec le recruteur du tumulte de la reprise en septembre, il vous glisse : « Et j'imagine qu'avec la rentrée des classes, ça doit être encore plus dur à gérer... » Si vous répondez : « Ouf, oui, et avec quatre enfants, c'est pas évident ! », il aura obtenu l'information qu'il voulait. Si, en revanche, vous vous contentez d'un simple « en effet », vous aurez répondu à la question sans lui fournir trop de détails sur votre vie privée.

Les questions qui vous soufflent presque la réponse

Pour chaque question de cet ordre, il faut essayer de **trouver la réponse qui a le plus de chances de satisfaire son interlocuteur.** Quand la question contient une partie de la réponse, profitez-en, dites ce que veut entendre votre vis-à-vis !

« Aimez-vous le travail d'équipe ? »

Même si vous travaillez seul, vous êtes au sein d'une entreprise et une entreprise est une équipe. Donc, que votre emploi s'exerce seul ou en équipe, il est évident que la bonne réponse est oui.

Vous pratiquez un sport d'équipe ou encore vous avez l'habitude de travailler en équipe ? Précisez-le. Vous avez ici une belle occasion d'illustrer ce que vous avancez en décrivant un projet qui a été mené à bien grâce au travail d'équipe. Vous pouvez aussi parler de la philosophie du travail d'équipe. C'est un jugement personnel que vous confirmerez ou pas, mais pour ma part, je trouve que le résultat d'un travail d'équipe est souvent supérieur à l'addition du travail de chaque membre de l'équipe. C'est la loi du 1 + 1 = 3.

Vous pouvez cependant assurer vos arrières en ajoutant que vous êtes capable de travailler seul, car vous êtes autonome.

« Combien de temps allez-vous rester avec nous ? »

La réponse est simple et universelle : le plus longtemps possible !

* * *

Bien d'autres questions sont envisageables et il serait fastidieux d'en faire le tour. L'essentiel est de saisir ce qui se cache derrière une question, de manière à orienter votre réponse en fonction des espérances du recruteur.

Chapitre 4

Il n'y a pas que des réponses à préparer !

À l'heure actuelle, vous êtes probablement totalement préoccupé par les questions qu'on vous posera en entrevue. C'est normal. Mais il vous faut aussi penser à différents aspects de la rencontre que vous ne devez pas négliger : les questions que vous poserez au recruteur, l'évaluation qu'on fera peut-être de votre maîtrise de l'anglais, vos références ainsi que votre présentation physique. Voyons chacun de ces aspects en détail.

Préparez les questions que vous poserez au recruteur

Une entrevue est un échange de renseignements entre vous et le recruteur. Si le recruteur vous pose des questions, c'est pour mieux vous connaître et faire par la suite un choix éclairé parmi les candidats qu'il aura rencontrés. Le rapport que vous avez avec lui doit être **un rapport d'égalité et non d'infériorité.**

C'est pourquoi vous devez également poser des questions au recruteur. Vous aussi, vous cherchez à connaître son entreprise afin d'être certain que l'environnement vous convient. Vos questions démontreront votre intérêt pour l'organisation, mais elles prouveront aussi que vous n'êtes pas prêt à vous engager dans n'importe quel contexte.

Autrement dit, le recruteur cherche le meilleur profil pour l'entreprise et vous cherchez le meilleur employeur pour votre profil.

Voici des questions que vous pouvez poser pendant l'entrevue. Préparez-les par écrit. Toutefois, faites attention en cours d'entrevue de ne pas poser celles dont vous auriez déjà la réponse ou qui auraient été abordées. Prenez les réponses du recruteur en note.

✓ Quel genre de personnel employez-vous ?

✓ Comment se développe le marché dans lequel se situe l'entreprise ?

✓ L'entreprise a-t-elle de bonnes chances de croissance ?

✓ Quels sont les projets immédiats pour l'entreprise ?

✓ L'entreprise ou le service ont-ils subi des changements fondamentaux de structure ou de stratégie ces dernières années ?

✓ Où se situe le poste dans l'organigramme de la société ?

✓ Qui sera mon supérieur immédiat ?

✓ Est-ce que j'aurai à superviser du personnel ?

✓ Pourquoi le poste est-il vacant ?

✓ L'entreprise connaît-elle un fort roulement de personnel ?

- ✓ Quelle est la suite de la procédure d'embauche ?
- ✓ Qui est le décideur final ?
- ✓ Y a-t-il d'autres tests ou entrevues ?
- ✓ Devrais-je suivre une formation au début ? Si oui, combien de temps dure-t-elle ?
- ✓ Pourrais-je suivre des formations supplémentaires en plus de la formation de base ?
- ✓ Puis-je rencontrer les gens avec qui je devrai peut-être collaborer ?
- ✓ Quelles sont les perspectives d'évolution de la fonction ?
- ✓ Y a-t-il également des commissions ?
- ✓ Y a-t-il des possibilités de perfectionnement au sein de l'entreprise ?
- ✓ Peut-on envisager des rotations de poste entre collègues ?
- ✓ L'entreprise offre-t-elle des avantages en nature ? Par exemple, un espace de stationnement, un téléphone cellulaire, un régime de retraite…
- ✓ Les tâches pourraient-elles subir de profonds changements ? Dans quel sens ?
- ✓ Quels outils seront mis à ma disposition ?

Préparez l'évaluation de votre anglais

Au Québec, la majorité des postes nécessitent la maîtrise du français et de l'anglais.

Si vous êtes bilingue, tant mieux ! Si vous ne l'êtes pas complètement mais que vous avez un anglais fonctionnel, voici quelques conseils, basés sur ma propre expérience, pour améliorer votre performance en entrevue.

En tant que Français, j'ai suivi des cours d'anglais au fil de mes études. Je connaissais mes verbes irréguliers, mes conjugaisons et ma grammaire. En revanche, je n'avais jamais eu l'occasion de m'exercer à parler l'anglais, si bien que ma conversation était médiocre.

Mon premier employeur était une multinationale américaine où une grande partie des conversations à l'interne et à l'externe se faisaient en anglais. Je me suis dit : « Greg, tu as un problème, quand ils vont constater tes difficultés en anglais, tu vas prendre la porte assez vite merci ! » Mon entrevue était prévue deux jours plus tard et je ne savais pas comment j'allais surmonter cet obstacle. Tout à coup, j'ai eu l'idée qui m'a sauvé.

Je me suis dit que, pour tester mon anglais, le recruteur commencerait sûrement par me poser la question « How is your English ? » ou « What about your English ? ». J'ai donc simplement appris par cœur la réponse de manière à ce que je puisse la dire aisément. Voici ce que j'ai répondu : « My English is not too bad, I'm not fluent but I'm able to speak English within a professional environment. I've never used English over the phone with customers and providers, but I feel ready to do it. To improve my English, I take some courses, I try as much as possible to watch TV in English and occasionally read books. »

La scène s'est passée exactement comme je l'avais imaginée. Quand le recruteur a entendu ma réponse, il est passé à la question suivante, en français.

Deux semaines après mon entrée en fonction, le gestionnaire qui m'avait embauché est venu me voir et m'a dit qu'il trouvait mon anglais assez moyen. Je lui ai répondu que c'était pourtant lui qui avait évalué ma maîtrise de la langue en entrevue. Il a fait « hum ».

Attention : il faut aussi assurer ses arrières. Dès mon embauche, j'ai suivi des cours de conversation en anglais, six heures par semaine, je ne regardais la télé qu'en anglais, j'ai lu plusieurs livres, je parlais même l'anglais avec ma conjointe. En six mois, je pouvais tenir une conversation en anglais.

La réponse que j'ai fournie ici peut vous inspirer, mais il importe que vous en prépariez une qui correspond à vos capacités et que vous pourrez prononcer aisément. Au besoin, faites-vous aider.

Cette astuce pourra améliorer votre performance si vous parlez déjà l'anglais et que vous doutez de vos capacités en entrevue. Elle vous aidera à vous sentir plus à l'aise, à éviter de faire des erreurs ou d'avoir un trou à cause de la nervosité. **En aucun cas je ne conseille ce truc à un candidat qui ne parle pas l'anglais.** Si c'est votre cas, avouez-le plutôt que de baragouiner.

Deux autres conseils :

1. Quand le recruteur vous demande de poursuivre la conversation en anglais, ne repassez pas au français tant qu'il ne vous y a pas invité.
2. Si vous ne trouvez pas un mot en anglais, cherchez un synonyme ou reformulez votre phrase. Surtout, ne jamais utiliser un terme français dans une conversation en anglais ; mieux vaut dire « I don't know how to say this word in English » plutôt que d'insérer des mots français au milieu d'une phrase en anglais.

Préparez vos références

Dans 90 % des cas, le recruteur demande des références. Elles servent à confirmer les renseignements que vous avez donnés et à en valider de nouveaux. Les références sont souvent le dernier défi à relever avant de crier victoire. Ne les négligez pas, ce détail pourrait vous coûter cher.

Vous avez beau avoir fait une bonne entrevue, si le recruteur a une conversation peu concluante avec une des personnes données en référence, il pourra tout remettre en question. Plutôt que de vous croiser les doigts en espérant que la personne parle en votre faveur, arrangez-vous pour qu'elle le fasse ! Voici comment vous en assurer.

- Donnez le nom de vos anciens gestionnaires ou d'une personne aux ressources humaines. Prenez soin de préciser le nom complet des personnes avec qui communiquer. Si vous vous contentez de dire, « vous pouvez appeler les ressources humaines de mon ancien employeur », vous prenez le risque que le recruteur soit orienté vers la mauvaise personne, ce qui compromettrait le succès de cette démarche.

- Ne donnez pas le nom de personnes avec qui vous n'avez pas eu d'excellentes relations ou d'employeurs que vous avez quittés en mauvais termes.

- Prévenez toujours les personnes dont vous allez donner le nom en référence. Essayez de convenir avec elles de ce qui sera dit et omis. Cette précaution est importante et tout à fait normale. Vous pouvez même dire sans gêne au recruteur que la personne référée a été prévenue et qu'elle attend son appel. Premièrement, vos anciens gestionnaires apprécient d'être prévenus qu'un employeur va les appeler à votre sujet. Ils pourront ainsi mieux se préparer et structurer leur discours. Deuxièmement, si vous décelez une réticence de la part d'une personne que vous alliez donner en référence, trouvez-en une autre.

- Demandez à vos anciens employeurs des lettres de recommandation que vous apporterez à l'entrevue.

- En prévision de l'entrevue, mettez sur papier, au propre, la référence au complet : nom de la personne, son titre, son lien professionnel avec vous, le nom de l'entreprise et le numéro de téléphone.

Comment se déroule une demande de référence ? D'abord, le recruteur validera auprès de la personne référée les renseignements de base : vos dates d'embauche et de fin d'emploi, le titre de votre poste et le rapport hiérarchique que vous aviez avec elle. Il s'intéressera ensuite aux fonctions que vous occupiez et à la raison de votre départ.

Il voudra aussi savoir ce que pense votre gestionnaire de la qualité de votre travail. Il s'agit d'une question ouverte, car il veut laisser parler son interlocuteur afin d'avoir un maximum d'information.

Le recruteur s'assurera de votre sociabilité, de votre comportement avec les collègues, de la façon dont vous étiez perçu par les autres employés, de votre respect de la hiérarchie et des directives de votre superviseur.

L'éternelle question des principaux points forts et points faibles sera posée. Le recruteur voudra enfin savoir si vous êtes ponctuel, honnête, bilingue, fiable, si vous avez du leadership, un esprit d'équipe, si la personne vous recommanderait à d'autres entreprises et pour quel poste, si elle vous réembaucherait et dans quelles conditions.

Pour ma part, je termine en parlant plus spécifiquement du poste que j'ai à pourvoir et je demande à mon interlocuteur s'il voit son ancien employé dans ce genre de fonctions.

Soignez votre apparence

Contrairement à ce que certains croient, les recruteurs font toujours attention à la tenue vestimentaire du candidat. **Votre apparence sera un élément crucial dans la première impression que le recruteur aura de vous.** Évidemment, l'entrevue sert à confirmer ou à infirmer ce premier sentiment. Un bon recruteur ne se fie pas *uniquement* à sa première impression. Il n'en reste pas moins qu'elle existe et puisque c'est une réalité, autant lui en laisser une bonne.

Le soin que vous portez à votre tenue représente aussi une marque de respect pour votre interlocuteur et l'importance que vous accordez à votre entrevue. Ne laissez rien au hasard.

Il est important de respecter le code vestimentaire de l'entreprise. Vous pouvez vous renseigner en appelant la réceptionniste de l'entreprise ou la personne qui vous a convoqué. Voici ce que vous pourriez dire à la réceptionniste : « Bonjour Madame, mon nom est Jacques Tremblay. J'ai une entrevue lundi avec votre directeur des ressources humaines et je voulais me renseigner sur le code vestimentaire de votre entreprise afin de me présenter en conséquence. »

Les entreprises installées dans un centre-ville, les grandes sociétés de même que les entreprises de service sont en général plus exigeantes sur le plan vestimentaire que celles situées en périphérie, de petite taille ou dans des domaines plus manufacturiers.

Très souvent, le personnel de bureau et administratif, les comptables, les membres de professions libérales de même que les professionnels de la vente et du service à la clientèle considèrent comme normal le port du complet cravate pour les hommes et du tailleur pour les femmes.

Les exigences de postes de manutention et plus manuels sont moindres, mais ne négligez pas pour autant votre allure. Monsieur, choisissez un pantalon, une chemise et des chaussures de ville. N'arrivez pas en costume cravate et tiré à quatre épingles si vous postulez un emploi de menuisier sur un chantier de construction. Madame, une tenue professionnelle mais simple est un bon choix.

Dans les domaines créatif et artistique, il n'est pas obligatoire de porter un complet ou un tailleur. Adoptez toutefois un style de bon ton.

Si par ailleurs nul ne vous a renseigné et que vous n'avez aucune idée du code vestimentaire en vigueur, habillez-vous de la façon la plus professionnelle possible.

Dans tous les cas, soyez impeccable :

✓ Soyez rasé, coiffé.

✓ Ayez les mains et les ongles propres.

✓ Juste avant l'entrevue, évitez d'aller manger un shish taouk, de fumer et surtout de boire de l'alcool.

✓ Portez des vêtements fraîchement lavés de manière à éviter les odeurs de cigarettes et autres.

✓ Optez pour des chaussures de ville, récemment cirées.

✓ Choisissez des couleurs sobres : bleu foncé, noir, gris, blanc...

✓ Soyez simplement de bon goût, c'est-à-dire classique. Dans les domaines artistique et créatif, vous pouvez vous permettre un peu plus de fantaisie, mais veillez à rester de bon goût.

✓ Optez pour des vêtements assortis : l'heureux mariage des couleurs et des motifs est important.

✓ Évitez les excès : de parfum, de maquillage, de gel dans les cheveux...

✓ Évitez les tenues extravagantes ou provocantes.

✓ Évitez les perçages et autres fantaisies corporelles (sauf dans les domaines créatif et artistique).

✓ Évitez le jean ou le short, le t-shirt et les chaussures de sport.

- ✓ Évitez de mettre des chaussettes blanches. Le mieux est qu'elles soient de la même couleur que votre pantalon ou vos chaussures, du moins, dans les mêmes tons. Des chaussettes foncées et unies sont en général passe-partout.
- ✓ Évitez les cravates avec des Mickey Mouse ou autres dessins fantaisistes.
- ✓ Évitez les bijoux clinquants.
- ✓ Soyez en forme : couchez-vous tôt la veille et ne vous bourrez pas de café le matin même. Dans les cas extrêmes, par exemple si vous souffrez d'une grosse grippe, mieux vaut annuler une entrevue que de faire mauvaise impression.

Partie 2

Le jour J

Commençons par le principe de base : une entrevue ne doit pas être un rapport de forces, mais plutôt **un échange au cours duquel chaque partie se vend et cherche à connaître l'autre** afin de rassembler assez d'information pour pouvoir faire un choix réfléchi et cohérent.

Si vous partez d'une entrevue détendu, en ayant l'impression que vous avez passé un bon moment, que vous avez discuté avec votre interlocuteur, que vous avez dialogué plus que répondu à un questionnaire, que vous avez fait tomber les barrières et instauré une relation de confiance, complice, que ça a « cliqué », alors vous avez réussi votre entretien !

L'entrevue d'embauche est en effet un véritable « jeu de séduction », autant pour le recruteur que pour vous. Chaque partie essaiera de convaincre l'autre qu'elle est faite pour elle ! Préparez-vous donc à « séduire » votre interlocuteur par votre esprit, votre comportement, votre expérience et votre personnalité, bref, par tous les moyens... ou presque !

Chapitre 5

Le cadre de la rencontre

Votre CV et votre lettre d'accompagnement ont été des appâts. Votre profil intéresse d'ores et déjà l'entreprise ; la preuve est que vous êtes convoqué en entrevue. Il reste maintenant à convaincre votre interlocuteur que vous êtes le meilleur candidat sur le marché pour occuper ce poste, et c'est par votre personnalité que vous ferez la différence.

Vous verrez ici quelles sont les principales étapes de l'entrevue, comment vous comporter avant et pendant l'entrevue et comment éviter les pièges qui peuvent vous être tendus.

L'entrevue traditionnelle

Il y a différents types d'entrevues : les entrevues devant plusieurs interlocuteurs, les entrevues où vous ne voyez même pas le recruteur et où vous vous contentez de remplir un questionnaire à choix multiples, les entrevues de groupe impliquant des mises en situation et au cours desquelles vous devrez vous démarquer des autres candidats. Dans 90 % des cas, toutefois, c'est l'entrevue traditionnelle, menée face à face par un seul recruteur, ou encore par le recruteur et le gestionnaire, qui vous attend.

Le processus d'embauche varie cependant selon que l'entrevue se déroule dans une PME, dans une grande entreprise ou dans une agence de placement. Voyons chaque cas plus en détail.

- **Dans une PME**

  Dans une PME, le processus d'embauche comporte généralement deux entrevues. En l'absence de service des ressources humaines, ce qui est le plus fréquent dans ce type d'entreprise, vous serez en général amené à rencontrer en premier lieu celui qui sera votre superviseur direct. Cette rencontre servira à évaluer votre personnalité ainsi que vos compétences techniques.

  Si elle s'avère concluante, vous rencontrerez par la suite le président, plus pour une question de formalité que pour une seconde évaluation. Dans le cas où le superviseur hésite entre plusieurs candidats, c'est généralement le président qui tranche.

- **Dans une grande entreprise**

  Dans une grande entreprise, le processus d'embauche comporte deux, voire trois entrevues, sauf exception. Vous rencontrerez en premier lieu les ressources humaines, qui ont le mandat de faire un premier tri afin d'éliminer les candidats qui ne remplissent pas les conditions de base, histoire de ne pas faire perdre de temps aux gestionnaires.

  Cette entrevue servira généralement à évaluer la compatibilité entre votre profil combiné à votre personnalité et la culture de l'entreprise. De plus, on évaluera votre expérience générale, votre intérêt pour le poste, votre disponibilité et votre niveau de scolarité, et on s'assurera que vous acceptez les conditions générales du poste : la fourchette salariale (attention, ce n'est pas encore le moment de négocier), les avantages sociaux et l'horaire de travail.

À cette étape, certains éléments qui n'étaient pas mentionnés dans l'offre d'emploi risquent d'être abordés. Par exemple, les heures supplémentaires. Comme l'offre d'emploi est toujours muette à ce sujet, surtout si les heures supplémentaires ne sont pas rémunérées, le recruteur voudra évaluer votre attitude au cours de cette première entrevue. Il peut vous demander si vous êtes disponible pour faire des semaines de 50 heures. Si cet horaire vous rebute, pour quelque raison que ce soit, ce n'est pas la peine d'aller plus loin.

La deuxième entrevue sera menée par le ou les gestionnaires. Seront alors évaluées vos affinités avec le ou les gestionnaires, avec l'équipe, et surtout vos compétences et votre capacité technique à occuper le poste.

Une troisième entrevue peut avoir lieu avec le directeur ou un haut cadre du service. Cette troisième rencontre peut générer du stress, mais c'est en fait un bon signe. Comme avec le président d'une PME, c'est souvent une question de formalité, pour avoir la bénédiction de la direction ou parce qu'il faut trancher entre deux bons candidats.

- **Dans une agence de placement**

Lorsque vous rencontrez un conseiller en agence de placement, deux situations sont possibles. Soit il essaie de pourvoir un poste précis pour un des clients de l'agence, soit il veut vous intégrer dans la banque de candidats de l'agence afin qu'elle puisse communiquer avec vous quand un poste correspondra à vos attentes.

Une entrevue en agence de placement est différente de celle chez un employeur. En effet, l'employeur a une idée bien précise du profil qu'il cherche et rencontre des candidats dans le but de trouver celui qui correspond le plus à son idéal. L'agence, elle, est là pour dresser un bilan objectif de vos compétences et de votre personnalité afin de trouver par la suite l'entreprise et le poste qui correspondront à vos attentes, à vos compétences et à votre personnalité. Si vous ne répondez pas aux exigences du poste pour lequel elle vous rencontre, elle pourra toujours vous considérer pour autre chose éventuellement.

L'entrevue en agence est de ce fait moins stressante, car on ne cherchera pas à vous déstabiliser ou à vous tester afin de savoir si vous correspondez à un certain profil préétabli. On cherchera plutôt à mieux vous connaître pour réussir le « match parfait ».

L'AGENCE DE PLACEMENT

Une « marieuse » sur qui vous pouvez compter

Une agence de placement reçoit des mandats précis de la part d'employeurs à la recherche de la candidature idéale. Elle prend en charge tout le processus de recrutement, puis elle présente à son client les personnes qui lui paraissent répondre le mieux aux exigences du poste. Les chercheurs d'emploi ont donc tout intérêt à considérer cette avenue, sans toutefois négliger leurs propres démarches.

Malheureusement, nombre d'entre eux croient, à tort, que la personne embauchée grâce à l'intervention d'une agence voit son salaire amputé par les frais d'agence. C'est absurde. Si les candidats qui passent par des agences étaient lésés dans leurs conditions salariales, plus personne ne voudrait faire affaire avec elles ! Mandater une agence représente effectivement un coût pour l'entreprise, mais ce coût n'est pas plus élevé que si elle avait affecté son propre personnel à la recherche d'un candidat.

Par ailleurs, certains candidats hésitent à utiliser les services d'une agence parce que, souvent, ils sont déçus d'une expérience passée avec une agence peu professionnelle, parce que l'agence les convoque en entrevue et ne les rappelle pas assez vite, parce qu'ils avaient mis tous leurs espoirs dans ce seul moyen pour trouver un emploi, parce que l'agence prend sa commission sur leur salaire, parce qu'ils pensent n'être qu'un numéro... Pourtant, une agence de placement a, par définition, des clients qui cherchent des employés. Elle constitue donc une ressource de plus pour tout chercheur d'emploi. Une ressource d'autant plus intéressante qu'elle est gratuite pour le candidat.

L'agence a en sa possession toute l'information nécessaire sur le candidat et sur les entreprises pour pouvoir effectuer un « match parfait ». De plus, il est dans son intérêt que le candidat et le client soient satisfaits du résultat, car elle s'assure de ce fait de fidéliser l'un et l'autre.

Pour le candidat, l'agence représente aussi une précieuse complice dans la recherche d'emploi. En effet, l'agence connaît son client, ses attentes « non dites », sa culture d'entreprise, ses principaux critères de sélection et les compétences particulières demandées. De plus, elle sait si l'employeur cherche un profil évolutif ou non, s'il offre des possibilités d'avancement et combien de candidats il s'apprête à rencontrer. Autrement dit, l'agence a ce qu'il faut pour vous « coacher » et vous donner les meilleurs conseils afin que vous réussissiez votre entrevue.

Finalement, une agence qui connaît bien son client et qui a établi une relation de confiance avec lui, pourra lui « vendre » votre profil et votre candidature en soulignant vos points forts. Vous pourrez ainsi avoir une entrevue pour un poste que vous auriez ignoré si vous n'étiez pas passé par elle.

L'agence peut donc être très profitable pour votre recherche d'emploi, mais encore faut-il qu'elle vous connaisse ! Or, les agences, en raison du nombre de candidats dont elles s'occupent, ne rappellent pas toujours et il est parfois difficile d'obtenir une rencontre avec un conseiller. Voici quelques trucs pour vous faire remarquer.

Ne vous contentez pas d'envoyer votre CV par télécopieur ou par la poste. Vos chances de réponse seront minces. Pour ne pas que votre CV se perde dans une pile, il vous faut un courrier électronique, un numéro, un nom, et parler avec la bonne personne. Pour augmenter la probabilité d'obtenir un rendez-vous, suivez cette démarche.

- Faites un premier appel pour bien cibler le bureau spécialisé dans votre domaine et le plus proche de chez vous. Ensuite, demandez le nom du conseiller qui vous aidera le mieux selon votre profil et vos attentes ; les conseillers ont en effet souvent une spécialisation.
- Soyez prêt à envoyer sur-le-champ votre CV en format électronique.
- Appelez le conseiller, présentez-vous, dites-lui que vous cherchez un emploi et que vous souhaitez faire affaire avec son agence. S'il vous donne un rendez-vous tout de suite, tant mieux !

S'il vous dit, « envoyez-moi votre CV, je vous rappellerai... », surtout ne le lâchez pas, dites-lui que vous êtes prêt à le lui envoyer. Demandez-lui son adresse de courriel et, surtout, gardez-le en ligne pendant que vous expédiez votre CV. Laissez-lui 30 secondes pour y jeter un coup d'œil et demandez-lui s'il est apte maintenant à vous donner un rendez-vous. S'il refuse encore, demandez-lui quand vous pourrez le rappeler pour fixer une rencontre.

Grâce à cette démarche, même si le conseiller ne vous fixe pas immédiatement un rendez-vous, vous aurez au moins mis votre CV « sur le dessus de la pile ». Vous aurez le nom de la personne qui peut vous aider, vous lui aurez parlé et elle aura votre CV dans ses fichiers. Il se sera démarqué du lot de CV que l'agence reçoit quotidiennement, donc vous augmenterez vos chances d'être rencontré.

Attention, n'appliquez pas cette méthode pour rencontrer les recruteurs de tout autre type d'entreprise. Ces moyens sont acceptables par des agences, car elles sont elles-mêmes très persistantes. Une entreprise conventionnelle ne fonctionne pas de la même façon.

Évidemment, même si un conseiller de l'agence vous convoque en entrevue, il ne peut jamais garantir qu'il trouvera un poste à votre mesure. En fait, il n'a envers les candidats aucune obligation de résultat. D'où l'importance pour vous de ne pas mettre tous vos œufs dans le même panier.

Toutefois, si une agence ne vous rappelle pas, ce n'est pas parce qu'elle s'est moquée de vous et vous a interviewé pour rien. Deux raisons peuvent expliquer ce silence.

D'abord, aucun des postes à pourvoir ne correspond exactement à votre profil. Dans ce cas, on ne veut pas vous faire perdre votre temps ni celui du client en organisant une entrevue qui n'aboutira à rien. Ensuite, peut-être vous êtes-vous mal vendu durant la rencontre, si bien que le conseiller préfère présenter d'autres candidats aux clients. Après tout, son mandat est de trouver la personne idéale pour l'employeur. Mais ne vous inquiétez pas, après avoir lu ce livre, vous ferez partie des candidats que les conseillers des agences appelleront en priorité.

Le déroulement de l'entrevue

Une entrevue comporte **six étapes** distinctes, qui se présentent généralement dans la chronologie suivante.

1. Le premier contact

Cette étape sera ultérieurement analysée en détail (voir «Faites une première bonne impression, p. 113), mais je peux déjà vous dire que, bien qu'il soit bref, ce moment vaut son pesant d'or : c'est le temps de faire une première bonne impression !

2. La découverte du candidat

Généralement, le recruteur mène cette étape. Il parcourra avec vous votre CV et vous posera des questions aussi bien sur vos compétences que sur vous. Pour répondre pertinemment aux questions que vous avez anticipées, vous trouverez utile toute la préparation que vous avez faite. Comme vous l'avez vu précédemment, cette étape commencera le plus souvent par la question : « Parlez-moi de vous. »

3. Le portrait de l'entreprise

Cette partie est menée aussi bien par vous que par le recruteur. En général, ce dernier fera un bref discours pour vous livrer l'information principale sur l'entreprise. Pendant son explication, vous pourrez montrer que vous connaissez l'organisation en formulant des remarques appropriées à partir des données recueillies.

Imaginons que vous êtes en entrevue avec le recruteur du fabricant UAP. Il commence la présentation de l'entreprise en expliquant qu'elle est composée de trois divisions. Sans lui couper la parole, essayez de placer : « Les trois divisions sont : pièces d'auto, pièces pour véhicules lourds et fabrication, n'est-ce pas ? »

Une fois qu'il aura fini sa présentation, vous enchaînerez en lui posant les questions que vous aurez préparées. Je le répète, faites attention de ne pas poser de questions auxquelles il a déjà répondu, sauf si bien sûr vous voulez obtenir des précisions.

4. La découverte du poste

Ensuite, le recruteur vous parlera du poste et vous pourrez poser vos questions au fil de la discussion. Au cours de ces deux étapes, il est opportun de prendre des notes.

5. Le salaire

Cette question est souvent abordée brièvement au cours de la première entrevue, mais le salaire sera négocié en seconde entrevue. Le montant final peut être révélé en même temps que l'offre, laquelle est un document écrit qui indique votre salaire et les autres conditions d'embauche.

6. La prise de congé et le suivi

C'est le dernier souvenir que vous laisserez. Ne relâchez pas votre attention, il serait dommage de faire une gaffe en bout de ligne, surtout que l'entrevue ne se passe pas uniquement dans le bureau du recruteur. Elle commence quand vous dites bonjour à la réceptionniste et finit quand vous lui dites au revoir. Vous verrez plus loin les détails de cette étape.

Chapitre 6

Vous parlez même quand vous ne dites rien

Ce n'est un secret pour personne : la communication ne passe pas que par la parole. Tout ce que vous faites ou laissez transparaître donne au recruteur des informations sur ce que vous êtes... ou sur ce que vous semblez être. Arrangez-vous pour que cette image soit la bonne !

Faites une première bonne impression

Arrivez à l'entrevue dans de bonnes conditions. **Vous n'avez qu'une chance de convaincre votre interlocuteur.** Pensez-y, que ce soit dans sa vie personnelle ou professionnelle, il est toujours plus agréable de rencontrer quelqu'un qui est soigné et qui se présente bien plutôt que quelqu'un de négligé. Dans le monde du travail, un manque de soin peut être considéré comme un manque de respect et peut coûter cher au chercheur d'emploi. C'est pourquoi il est essentiel de soigner son arrivée au rendez-vous. Voici quelques conseils pour bien commencer la rencontre.

- Comme il a été expliqué à la fin de la première partie, soignez au maximum votre apparence et soyez en forme. Si vous êtes en forme, vous serez plus dynamique, plus percutant, et communiquerez bien mieux.

- Prenez toutes les mesures pour **ne pas sentir la transpiration.** Si vous arrivez à une entrevue dégoulinant de sueur, car il fait très chaud et que vous avez couru ou que vous êtes venu en vélo, demandez à aller aux toilettes pour **vous rafraîchir et décompresser un peu.** Croyez-moi, il n'y a pas de plus grand supplice pour un recruteur que de se trouver enfermé dans la même pièce qu'un candidat victime de ce mauvais concours de circonstances. Non seulement le recruteur va couper l'entrevue au plus court, mais vous n'avez aucune chance d'être retenu, car il ne voudra pas infliger ce désagrément à l'ensemble de ses employés.

- Ayez **une haleine fraîche.** Si vous êtes dans le doute, mâchez une gomme que vous jetterez avant l'entrevue.

- **Arrivez à l'heure,** si possible cinq minutes à l'avance. Au besoin, **faites le chemin pendant la fin de semaine** pour bien évaluer le temps que vous allez mettre le jour J. Si vous avez plus de cinq minutes d'avance, occupez-vous avant de vous rendre à la réception.

- Si vous voyez que vous aurez plus de 20 minutes de retard pour des raisons indépendantes de votre volonté, appelez et demandez si le recruteur veut reporter l'entrevue. Laissez-lui le choix.

- Si vous arrivez en retard, excusez-vous franchement mais rapidement. Certains candidats qui ont 5 minutes de retard mettent 10 minutes à s'excuser…

- **Éteignez votre téléphone cellulaire.** Si votre téléphone sonne ou, pire encore, si vous décrochez, votre candidature prendra une méchante claque ! Si, pour une raison exceptionnelle, vous devez le garder ouvert (votre conjointe est sur le point d'accoucher, mais rien de moins important !), prévenez le recruteur au début de l'entrevue et expliquez-lui la raison.

- **Retenez le nom de la personne que vous venez rencontrer.** Vous tromper de nom ou même l'oublier et être obligé de regarder votre convocation pour vous le rappeler serait franchement un mauvais départ pour vous.

- **Apportez un CV** à jour, même si l'employeur en a déjà un, et **de quoi prendre des notes.**

- Ayez à l'esprit une petite phrase pour engager la conversation entre la réception et le bureau du recruteur, ou encore si vous vous retrouvez en tête à tête avec lui dans l'ascenseur. Cela détendra l'atmosphère et créera tout de suite un climat plus convivial pour l'entrevue. Ne parlez pas de politique ni d'autres sujets sensibles, restez toujours neutre. Vous pouvez par exemple dire :

  - « Vous avez franchement de beaux locaux ; viennent-ils d'être rénovés ? » Bien sûr, il faut que ce soit crédible. Si les bureaux sont aussi bien décorés que l'arrière-boutique d'un dépanneur, trouvez autre chose !

  - « Est-ce que vous avez mis une heure vous aussi à déneiger votre auto ce matin ? »

- « D'après l'emplacement, je pensais avoir du mal à trouver mon chemin, mais finalement j'ai trouvé facilement grâce aux explications de votre réceptionniste. »
- « Je suis venu en voiture, mais je me demandais s'il était facile de se rendre ici avec les transports en commun ? »

Adoptez la bonne attitude

« Détends-toi, sois confiant, place-toi à niveau égal avec le recruteur. Il veut me convaincre autant que je veux le convaincre. »

Voilà l'attitude qu'il faut avoir quand on arrive en entrevue. Le recruteur a autant besoin de vous que vous avez besoin de lui. Vous l'intéressez, car il vous a convoqué ; vous l'intéressez donc autant qu'il vous intéresse. Ayez confiance et montrez de l'assurance. **Surtout, ne paraissez pas désespéré,** même si vous cherchez un emploi depuis longtemps.

Ne vous mettez pas dans la position du demandeur, car elle vous dévalorise et s'avère souvent déstabilisante. Difficile en effet de partir gagnant lorsqu'on vient supplier un recruteur à genoux. Aucune embauche ne s'est fondée sur le degré d'apitoiement du recruteur. Pour une embauche, il faut partir du principe que vous êtes le fournisseur de compétences que l'entreprise recherche et non le demandeur d'emploi. **Préparez-vous à choisir l'entreprise autant qu'elle vous choisit.** D'ailleurs, *subir* une entrevue ne vous apportera que préjudice.

Le recruteur voudra découvrir votre personnalité par les questions qu'il vous posera, mais aussi en analysant votre comportement. Quand vous rencontrez pour la première fois une personne, vous vous faites, dans la première minute, une certaine idée d'elle.

Lors de l'entretien d'embauche, votre interlocuteur se fie également à sa première impression. Votre tenue vestimentaire, votre attitude, votre poignée de main, votre manière de bouger sont notées avec attention. Il est donc important de ne pas négliger ces aspects. Quand vous préparerez votre rencontre, prenez conscience de vos défauts et tentez de les corriger afin de maximiser votre professionnalisme et vos chances de succès.

Ayez de l'assurance, soyez dynamique

Tenez-vous droit, ayez une démarche déterminée, ne baissez pas la tête, regardez votre interlocuteur dans les yeux, répondez clairement aux questions tout en gardant un certain calme et la maîtrise de vous-même. Mettez vos problèmes personnels de côté et concentrez-vous uniquement sur l'entrevue.

Je me souviens d'une candidate qui avait un beau CV, mais qui m'a tout de suite semblé renfermée, peu confiante et peu communicative. Cela me paraissait bizarre... Étant donné le brillant parcours qu'elle avait, je m'attendais à rencontrer « une star ». En creusant un peu, j'ai découvert qu'elle vivait de gros problèmes personnels. Je lui ai expliqué que, quels que soient ses problèmes, elle devait les mettre de côté durant l'entrevue, sans quoi, en plus d'avoir des problèmes personnels, elle n'aurait plus de succès professionnel et entrerait dans « le cercle vicieux des échecs ».

Une semaine plus tard, en entrevue chez mon client, elle a fourni une telle performance qu'il l'a embauchée pour un meilleur poste que celui prévu initialement. Après coup, elle m'a appelé pour me remercier de mon conseil et me dire que l'obtention de cet emploi lui avait redonné confiance en elle et le courage de mettre son bourreau de conjoint à la porte.

Votre dynamisme doit être le reflet d'un tempérament énergique et allumé, pas de votre nervosité. Au besoin, ralentissez votre débit, respirez, marquez des pauses et prenez le temps de réfléchir à votre réponse.

Soyez affirmatif et positif

Utilisez des verbes actifs : agir, conclure, résoudre, intervenir, entreprendre, analyser, etc. Parlez au présent plutôt qu'au conditionnel : « Je souhaite avoir des responsabilités » plutôt que « Je souhaiterais avoir des responsabilités ». Évitez les expressions comme « peut-être que... », « si éventuellement vous aviez l'obligeance de... ». Soyez le moins négatif possible : ne dites pas « Non, ça ne me convient pas », mais plutôt « En ce qui concerne ce point, j'aimerais trouver une autre option ». Remplacez « Non, je ne peux pas rentrer au bureau à 7 h le matin » par « Il est difficile pour moi de rentrer à 7 h ; avez-vous de la souplesse quant à l'horaire de travail ? ».

Autre exemple : le recruteur vous offre un salaire de 38 000 $. Si vous utilisez la négative, comme « Non, 38 000 $ ce n'est pas assez, je souhaite avoir au moins 40 000 $ », vos propos l'agaceront. Allez-y plutôt d'un « Eh bien, à dire vrai, quand je regarde les exigences demandées, je m'attends plutôt à passer la barre des 40 000 $ ». Vous ne mettez pas le recruteur dos au mur et il sera plus ouvert à la négociation.

Soyez percutant et pertinent

Essayez de rebondir à ce que vous dit votre interlocuteur, **participez à la conversation en apportant des remarques intelligentes.** Vos interventions animeront l'entrevue et favoriseront le dialogue. Dans certains cas, votre recherche d'information vous servira.

Disons que vous êtes en entrevue pour le Groupe Jean Coutu. Le recruteur vous parle de la compagnie et dit qu'elle a fait plusieurs acquisitions en 2004. Évitez de ne faire que « Hum » ou de rester silencieux. Sans lui couper la parole, glissez : « Je pense, en effet, que vous avez racheté le réseau des pharmacies Eckerd et Brooks pour mieux infiltrer le marché de l'Est des États-Unis. J'ai même appris dernièrement que ce réseau a été revendu à la société Rite Aid Corp en contrepartie d'une participation de 30 % de leur valeur boursière et 1,8 milliard de $ US. Pouvez-vous m'en dire un peu plus sur ce choix stratégique... »

Évitez les formulations qui vous donnent l'air tranchant

N'utilisez pas d'expressions comme « très certainement » ou « absolument jamais ». Cela pourrait vous faire passer pour quelqu'un de peu nuancé.

Tout comportement, qu'il soit positif ou non, devient négatif s'il est poussé à l'extrême. La mesure et le dosage de chaque chose sont très importants en entrevue. Vous devez être équilibré.

Par exemple, il faut être dynamique sans avoir l'air d'un jouet à ressort ; il faut être souriant et avoir le sens de l'humour, mais il n'est pas nécessaire de rire aux éclats à la moindre occasion.

Dans le même sens, évitez de dire : « Je ne supporte pas le bruit quand je travaille. » Précisez plutôt que vous aimez travailler dans le silence.

Restez neutre

Pour la majorité des sujets de conversation et surtout ceux qui sortent du contexte de l'entrevue, ne donnez jamais un avis catégorique. **Nuancez ce que vous dites et laissez-vous une porte de sortie.** Vous pourriez passer pour quelqu'un qui manque de souplesse ou même heurter votre interlocuteur s'il est d'un avis différent.

Imaginons que vous avez des valeurs syndicalistes (personne n'est parfait !) et que vous êtes en entrevue chez Walmart, dont tout le monde connaît la position antisyndicaliste. Quand le recruteur vous demande ce que vous pensez du syndicalisme, vous réduisez de beaucoup vos chances si, d'un bloc, vous lui lancez que vous êtes syndicaliste dans l'âme et que d'ailleurs, la première chose que vous ferez une fois engagé sera de travailler à faire entrer le syndicat chez Walmart parce qu'à vos yeux, c'est le seul moyen qu'ont les employés pour revendiquer leurs droits.

Une réponse plus neutre aurait pu être formulée ainsi : « Je suis pour le respect des droits des employés. Maintenant, que ce soit par une bonne écoute de la part de l'employeur ou par la voie du syndicalisme, ça m'est égal. » Bref, n'effrayez pas le recruteur, mais ne bafouez pas non plus vos convictions.

Dites la vérité

Ne dites que la vérité, mais pas forcément toute la vérité si certains éléments nuisent à vos fins.

Le recruteur vous demande si vous êtes disponible pour faire des heures supplémentaires? Répondez: « Oui, dans la limite du raisonnable, et si je suis prévenue à l'avance. » C'est mieux que: « Oui, dans la limite du raisonnable, et si je suis prévenue à l'avance, car j'ai quand même deux enfants en bas âge à la maison dont je m'occupe seule et il faut que je m'organise avec la nounou. »

Parlez correctement

Utilisez un vocabulaire professionnel (et non recherché), parlez comme vous écririez, bannissez toute vulgarité et expression familière. Dites « oui » et pas « ouais », « la personne » et non « le gars »... Faites aussi attention aux fautes de grammaire du genre « si j'aurais su » ou « je l'ai téléphoné » ou « ça l'a bien été ». Évitez ce genre de langage relâché : « Vous savez, en général, ça traîne pas que j'me fasse chum avec la gang. » « Vous savez, en général, je m'intègre rapidement dans une équipe » sonne beaucoup mieux.

Ne la jouez cependant pas à la française en disant : « Vous savez, habituellement, je tisse aisément des liens amicaux et sociaux avec l'ensemble des individus du groupe. »

Adoptez le rythme de votre interlocuteur

De manière générale, votre interlocuteur se sentira plus à l'aise et aura plus d'affinités avec une personne qui fonctionne au même rythme que lui.

S'il parle très vite et semble une boule de nerfs, faites en sorte d'être très dynamique et réactif, sans tomber dans le même extrême que lui.

S'il a l'air aussi nerveux qu'un blanchon sur la banquise, essayez de parler à son rythme et de prendre votre temps, sans toutefois faire preuve de mollesse.

Réveillez l'entretien

Si l'entretien devient trop monotone, vous pouvez parler un peu plus fort, instaurer un silence de quelques secondes, bouger un peu, faire une pointe d'humour ou raconter une anecdote en lien avec la conversation.

Soyez décontracté et ayez le sens de l'humour

N'hésitez surtout pas à y aller d'**une touche d'humour** pendant l'entrevue. Cela montrera que vous êtes décontracté et percutant. Il est impératif que votre humour soit fin, léger et bien placé. Attendez le bon moment. Un humour grossier ou déplacé aura l'effet inverse. Par humour grossier, j'entends l'humour familier, vulgaire, sexiste, racial, sexuel, discriminatoire, moqueur, trop sarcastique ou déplacé. Optez plutôt pour les jeux de mots, l'ironie, l'humour faisant référence à la conversation.

Un jour où moi-même je cherchais un emploi, j'étais en face d'un gestionnaire qui faisait référence à sa femme toutes les cinq minutes : « Cela me fait penser à ma femme qui me faisait remarquer que... » Et ainsi de suite... Je trouvais ça assez drôle, mais je n'y prêtais que peu attention. Vers le milieu de l'entrevue, alors qu'il remettait ça, il m'a fait la remarque que je devais penser qu'il parlait beaucoup de sa femme. Il m'avait tendu une perche ! Je lui ai répondu que, en effet, j'étais sur le point de l'appeler Colombo. Il a trouvé ma réplique très drôle et n'a plus parlé de sa femme.

Un humour plus douteux aurait été de répliquer : « Oui, en effet, je vois qui porte les culottes chez vous ! »

Soyez sympathique, souriant et de bonne humeur

Vous devez avoir l'air de quelqu'un d'agréable à vivre, avec qui ce sera un véritable plaisir de collaborer. Laissez dehors les comportements agressifs et négatifs. Évitez aussi les excès d'assurance qui frôlent la prétention.

Soyez sympathique avec la réceptionniste et surtout ne la sous-estimez pas. Les recruteurs lui demandent souvent ce qu'elle a pensé des candidats rencontrés ; ils obtiennent ainsi un autre avis et constatent si vous avez joué franc jeu pendant l'entrevue.

Ne parlez pas de choses personnelles

Seule exception : pour répondre à une question précise. Dans ce cas, formulez une réponse courte sans vous éloigner du sujet, sans entrer dans les détails. **Surtout, ne parlez pas de vos problèmes personnels,** qu'il s'agisse d'une situation familiale difficile ou d'ennuis de santé. Le recruteur n'est pas un psychologue et ne tient pas à obtenir de vous de l'information de cette nature. Certains détails pourraient le mettre mal à l'aise.

De plus, vous pourriez vous mettre des bâtons dans les roues. Un jour, en entrevue, j'interrogeais une dame sur ses passe-temps. Elle m'a répondu qu'elle n'en avait plus, qu'elle était en dépression depuis le décès d'un de ses proches, qu'elle ne savait plus trop où elle en était... Comment pensez-vous que j'ai réagi ? Premièrement, j'étais mal à l'aise de recevoir ses confidences, je me demandais si je devais lui présenter mes condoléances, etc. Deuxièmement, je me suis dit que dans l'état où elle était il n'était pas éthique de la présenter à mon client.

Rappelez-vous les bonnes manières

Comme dans chaque relation professionnelle, vous devez être très poli. Voici quelques règles élémentaires faciles à respecter.

- Avant d'entrer dans l'établissement, fermez votre téléphone et tout autre appareil qui pourrait perturber votre concentration pendant l'entrevue.

- Dans la salle d'attente, levez-vous seulement quand votre interlocuteur vous a clairement fait comprendre qu'il est la personne que vous venez rencontrer et qu'il est prêt à vous recevoir. Sinon, vous courez le risque de vous lever pour la mauvaise personne ou encore qu'elle vous fasse rasseoir, car elle a une dernière chose à finir avant la rencontre.

- Quand vous vous levez, allez vers le recruteur et faites suivre votre «Bonjour» de son titre de civilité et de son nom («Bonjour Monsieur Dupont»). Serrez-lui la main fermement en le regardant droit dans les yeux et nommez-vous. **La poignée de main est d'une extrême importance.** Il faut qu'elle soit ferme sans devenir un étau. Si vous êtes un homme et que vous rencontrez une femme, allez-y plus en douceur. Dans tous les cas, évitez comme la peste de donner une poignée de main molle et flasque. Évitez aussi, dans la mesure du possible, d'avoir les mains moites.

- En allant à son bureau, marchez derrière le recruteur. C'est plus poli et surtout plus pratique. Imaginez-vous la scène : si vous marchez devant lui, vous devez regarder derrière vous pour savoir où vous diriger, au risque de foncer dans quelqu'un et de ramasser une tasse de café sur vos vêtements neufs.

- Dans son bureau, asseyez-vous seulement lorsqu'il vous y invite et tout juste après lui. Évidemment, s'il s'assoit sans vous inviter à faire de même, ne restez pas planté là comme une quille, attendez deux secondes et asseyez-vous aussi.

- **Vouvoyez-le,** sauf s'il vous invite à le tutoyer. S'il vous tutoie d'emblée, selon le cas et la différence d'âge, vous pouvez aussi le tutoyer. Il est évident que si vous êtes un jeune diplômé et que vous rencontrez un directeur des ressources humaines dans la soixantaine, vous ne le tutoierez pas, même si lui le fait. Par contre, si vous êtes un programmeur informatique avec 10 ans d'expérience et que vous rencontrez un conseiller en ressources humaines qui a sensiblement le même âge que vous, vous pouvez le tutoyer s'il vous tutoie.

- Ne lui coupez jamais la parole, laissez-le toujours terminer sa phrase et aller au bout de son idée. Faites preuve d'écoute.

- À la fin de l'entrevue, ne vous empressez pas de lui resserrer la main dans son bureau. Attendez qu'il vous raccompagne à la réception ou à l'ascenseur et donnez-lui une bonne poignée de main. Vous pouvez même ajouter : « À très bientôt, j'espère. » Ces paroles lui indiqueront que vous sortez satisfait de votre entrevue.

Ne laissez pas votre corps vous trahir !

La plus grande partie de ce que vous dévoilez passe par la communication non verbale.

Votre posture et votre gestuelle

Votre posture et votre gestuelle en disent long sur votre état d'esprit.

- Évitez de vous coller au fond de votre chaise et de croiser les bras. Cette position fermée démontre que vous êtes sur la défensive. Vos bras croisés dressent une véritable barrière entre vous et votre interlocuteur. Adoptez plutôt une position plus orientée vers l'autre. Légèrement assis sur l'avant de la chaise, posez vos bras souplement sur vos genoux ou sur la table et tenez-vous droit.

- **Mieux encore : tenez un stylo et prenez quelques notes.** Attention de ne pas vous avachir sur la table pour écrire et n'oubliez pas de regarder principalement la personne en face de vous et non la feuille sur laquelle vous écrivez. Veillez aussi à ne pas jouer machinalement avec votre stylo.

- N'hésitez pas à changer de position de temps en temps, pour autant que vous ne gesticuliez pas par nervosité.

- Vous pouvez vous servir de vos mains pour faire des gestes, pour accentuer vos propos. **Les gestes expriment que vous êtes à l'aise,** que vous êtes enthousiaste. Ne tombez toutefois pas dans le théâtral.

- Ne négligez pas la position des pieds et des jambes. Remuer les pieds ou les jambes ne passe pas inaperçu ; gardez-les tranquilles le plus possible.

La gestuelle peut trahir l'intensité de votre stress si elle n'est pas contrôlée. Les mains qui se grattent et tapotent sur la table, le regard qui s'agite, les tics qui ressortent... Tentez de gommer tous ces signes un peu trop prononcés.

Votre sourire et votre regard

Comme tout le monde, le recruteur regardera toujours en premier votre visage. **Souriez-lui quand vous le saluez.** Ainsi, vous lui laisserez d'emblée une impression positive et vous manifesterez votre enthousiasme à le rencontrer.

Ayez le sourire facile tout au long de l'entretien de manière à animer l'entrevue et à montrer que vous êtes décontracté. Vous augmentez ainsi votre degré de complicité avec votre interlocuteur. Il est cependant maladroit d'avoir un sourire collé au visage du début à la fin, il doit rester naturel.

Par ailleurs, on peut lire dans vos yeux, ils peuvent vous trahir comme vous servir. Le regard vif et perçant soulignera votre intelligence, un léger plissement vous donnera du charme, un froncement prononcé de vos sourcils traduira votre méfiance, les yeux qui s'écarquillent afficheront votre étonnement, un regard fuyant, vers le bas, trahira votre manque de confiance.

Regardez votre interlocuteur dans les yeux sans le fixer pour autant. Alternez entre lui et vos notes. Cela renforcera votre assurance. N'ayez en aucun temps le regard évasif. D'ailleurs, en regardant votre interlocuteur quand vous parlez, vous pouvez déceler sur son visage ses impressions : vos propos le satisfont, lui font peur, le choquent, le convainquent... Orientez votre discours en fonction de ses réactions.

Sachez écouter

L'écoute est une qualité qu'on apprécie beaucoup chez les autres, car on aime pouvoir raconter son histoire. On dit souvent à des vendeurs en formation : « L'histoire la plus intéressante est celle du client. »

Imaginez que vous racontez une histoire passionnante à quelqu'un qui n'a aucune réaction, qui ne dit rien, ne bouge pas et regarde dans le vide. Vous vous demanderez rapidement s'il parle la même langue que vous, s'il vous écoute ou s'il se moque de vous.

Il est très important que vous fassiez preuve d'une grande écoute. **Votre écoute est le reflet de l'intérêt et du respect que vous accordez à votre interlocuteur.** Il est donc impératif de ne jamais l'interrompre et de le laisser parler quand vous parlez depuis longtemps ou dès que vous voyez qu'il aimerait prendre la parole. Une bonne écoute vous permettra de réagir aux remarques du recruteur et évidemment de mieux retenir l'information qu'il vous transmet.

L'écoute peut se traduire de trois manières :

✓ Regarder son interlocuteur.

✓ Prendre des notes.

✓ Lui donner du feed-back. Le feed-back peut être une répétition de la fin de sa phrase, une reformulation. Par exemple, s'il vous dit : « Vous comprendrez, Madame Gagnon, qu'en raison de notre activité, nous accordons ici une grande importance au service à la clientèle », vous pouvez répliquer : « Je saisis bien l'intérêt du service à la clientèle, oui. » Un feed-back peut aussi être un signe de tête, des mots comme « Oui », « Tout à fait », « En effet » ou encore des sons tel que « hum hum ». Vous pouvez les combiner, en prenant soin de ne pas en faire trop.

Chapitre 7

Un dernier effort pour gagner des points

Si vous avez suivi tous les conseils que je vous ai donnés jusqu'à présent, vous avez sans doute passé la rampe. Mais tout n'est pas joué. Vous pouvez encore gagner des points… ou rater votre sortie. Vous trouverez dans ce chapitre des sujets cruciaux pour vous assurer une meilleure performance.

Démarquez-vous

À cause de la multitude de candidats que rencontrera un recruteur pour le même poste, il faut que vous arriviez à vous démarquer, à persuader votre interlocuteur de votre volonté de décrocher cet emploi, à démontrer que vous êtes la personne qu'il cherche. Outre l'adaptation de votre CV et la personnalisation de votre lettre d'accompagnement dont il a été question dans la première partie, voici quelques idées pour vous différencier des autres.

- Complétez vos réponses avec des exemples concrets. Si vous répondez à la question « Quelle est votre principale qualité ? » par « J'ai un bon contact humain », cette réponse aura beaucoup moins d'impact que si vous dites : « J'ai un bon contact humain. Pendant mes études, j'étais responsable des communications du conseil étudiant et j'ai conclu plusieurs ententes avec de grandes entreprises, comme Bell, Hydro-Québec et RONA, pour aider les étudiants à obtenir des stages. »

- Qu'avez-vous ou que faites-vous d'original ? Soulignez cette caractéristique pendant l'entrevue. L'étude des sauterelles géantes d'Australie pourra paraître un peu comique, mais cette passion distinguera votre candidature dans le sens où elle montrera que vous avez votre personnalité et que vous vous intéressez à des choses peu communes.

Des expériences particulières, le nombre ou l'origine des langues que vous parlez, des réalisations exceptionnelles, des voyages au long cours, votre dévouement pour l'humanité, de grandes réalisations à titre bénévole peuvent aussi prouver votre originalité. Cherchez à étonner votre interlocuteur favorablement afin qu'il se souvienne de vous. Faites toutefois attention à ce que votre originalité ne traduise pas un comportement déséquilibré, du genre : « Ma passion, c'est de faire choquer le monde. »

Comment parler salaire ?

Le salaire n'est pas un sujet tabou, **cependant attendez que votre interlocuteur vous en parle.** S'il n'aborde pas le sujet à la première entrevue, n'en parlez pas non plus. La plupart du temps, c'est à la seconde entrevue que ce point est traité. S'il ne vous en parle toujours pas, vous pouvez évoquer le sujet en fin de seconde entrevue ou attendre qu'il vous fasse une offre.

Si le recruteur vous demande quelles sont vos attentes salariales, voici comment répondre, selon que le salaire était indiqué ou non dans l'offre.

Le salaire était indiqué dans l'offre

En toute logique, donnez vos attentes d'une manière cohérente avec ce qui était indiqué. Disons que la fourchette salariale va de 50 000 $ à 55 000 $. Si vos attentes sont de 53 000 $, c'est parfait. Si vos attentes sont de 60 000 $, vous pouvez le préciser, on ne sait jamais, l'employeur a peut-être du jeu. Maintenant, si vous demandez 68 000 $, le recruteur pensera que vous avez mal lu l'offre d'emploi. Et si vous valez vraiment 68 000 $, il y a de fortes chances que vous soyez surqualifié pour le poste.

Quand vous présentez vos attentes salariales, il n'est pas forcément judicieux de donner une fourchette. Pourquoi se fermer la porte à un salaire plus élevé ? Par exemple, si vous dites « Je veux gagner entre 50 000 $ et 53 000 $ », le recruteur pourrait se dire « C'est plate, on voulait vous donner 55 000 $, salut ! » Je plaisante, mais il y réfléchira à deux fois avant de vous faire l'offre à 55 000 $. Le mieux est de dire que vous considéreriez le poste à partir de 52 000 $, mais que, idéalement, vous aimeriez 55 000 $ ou plus.

L'offre d'emploi était muette au sujet du salaire

En cohérence avec le poste et le profil recherché, formulez une demande légèrement supérieure au salaire à partir duquel le poste vous intéresse. Supérieure, car cela vous donnera une marge de manœuvre pour négocier. Si le poste vous intéresse à partir de 52 000 $ mais qu'idéalement vous gagneriez 55 000 $, alors vous pouvez pousser votre demande à 57 000 $, en précisant que vous êtes souple sur ce point pour ne pas effrayer le recruteur.

Il est important de faire la différence entre vos attentes salariales minimales et idéales. N'allez pas croire que, parce que vous annoncez un minimum de 52 000 $, l'employeur se jettera sur l'occasion et vous fera une offre à 52 000 $. Il est tout à fait conscient que, s'il veut être compétitif par rapport aux autres offres potentielles, son offre minimale ne pèsera pas lourd dans la balance. De plus, même si vous acceptez cette offre à 52 000 $, votre fidélité envers lui demeurera très fragile, car vous pourriez facilement vous faire recruter et accepter une offre ailleurs correspondant réellement à vos attentes de 55 000 $ ou 57 000 $. Pire, vous pourriez accepter le poste « en attendant » et continuer à chercher un emploi plus payant.

Il faut que vous donniez des attentes salariales qui sont en cohérence avec votre profil, vos compétences et votre plus récent salaire. Il est important de ne pas vous surévaluer, vous pourriez perdre votre crédibilité. Si vous avez deux ans d'expérience, un diplôme d'études collégiales et que votre plus récent salaire était de 28 000 $, il sera en effet incohérent de demander un salaire de 45 000 $, même si la fourchette salariale du poste est de 30 000 $ à 45 000 $. Le recruteur ne sera pas prêt à vous faire une offre dans ces conditions et pensera que vous croyez encore au père Noël.

À l'opposé, il est encore plus important de ne pas vous sous-évaluer. Dans les mêmes conditions, si vous demandez 23 000 $ parce que vous vous dites qu'en vous contentant d'un bas salaire vous aurez plus de chances d'avoir le poste, le recruteur se demandera pourquoi vous aspirez à un si petit revenu par rapport à votre revenu précédent et à votre profil. Il soupçonnera quelque chose de louche et se méfiera.

Il peut penser que vous mentez sur votre ancien salaire, que vous vous sentez peu compétent pour le poste et que, par conséquent, vous préférez demander un petit salaire. Il s'imaginera que vous manquez de confiance en vous (ce qui dans ce cas ne sera pas faux), que votre désespoir est tel que vous êtes prêt à accepter n'importe quel salaire pour travailler, que vous ne comptez pas rester longtemps et que ce poste n'est pour vous qu'une transition. Bref, il sera sur la défensive.

Un minimum raisonnable dans cette situation serait 30 000 $ ou un peu plus, si les autres avantages sont négligeables. N'hésitez pas à dire 30 000 $, car si l'employeur a l'intention de vous donner seulement 29 000 $, il vous fera une offre. Par contre, s'il compte vous donner 25 000 $, il vous dira tout de suite que votre demande se situe au-dessus de sa fourchette salariale. Devant une offre inférieure à vos attentes, négociez. Si l'employeur est intraitable quant au salaire, demandez plus d'avantages, comme un horaire flexible, une place de stationnement, des vacances supplémentaires, une meilleure rémunération de vos heures supplémentaires, des bonis, une révision salariale dans six mois plutôt que dans un an…

Avant l'entrevue, **fixez-vous un minimum salarial au-dessous duquel vous ne descendrez pas.** Ce minimum doit être déterminé en fonction de votre intérêt pour le poste, de sa proximité (il faut tenir compte des coûts de transport), des avantages qu'il présente, de vos objectifs de carrière, de votre salaire actuel ou passé, de votre situation d'emploi actuelle, etc.

Je m'attarde sur ce point important. Sachez que vous avez toujours plus de valeur sur le marché, et donc un meilleur pouvoir de négociation, quand vous travaillez. Le recruteur sait que si vous avez un emploi, vous ne changerez pas quatre trente sous pour une piastre ; il devra vous offrir plus que votre employeur actuel. Il sait aussi que si vous êtes au chômage, il y a bien des chances que vous ayez vraiment besoin de travailler et que vous acceptiez une offre plutôt basse. Moralité : réfléchissez bien avant de vous dire « je démissionne, je profite de mon été et je trouverai un nouvel emploi en septembre ». Une meilleure stratégie serait de vous chercher un emploi pendant que vous êtes en poste et de négocier dès le départ une date d'entrée en fonction.

Prenez congé avec doigté

Que le poste vous intéresse un peu ou beaucoup, dites qu'il vous intéresse mais que vous devez « évaluer aussi les autres possibilités ». De cette manière, vous mettez le recruteur en confiance, car vous lui déclarez votre intérêt pour le poste ; en même temps, vous lui faites sentir qu'il a intérêt à communiquer avec vous rapidement. Ne dites pas que vous n'êtes « pas sûr », car si le recruteur ne vous sent pas motivé, il fera un trait sur votre candidature. Par contre, si le poste ne vous intéresse pas du tout, dites-le en vous justifiant. Le recruteur pourra ainsi éventuellement revoir son offre en fonction de vos attentes.

Demandez-lui quelles sont les prochaines étapes de même que le moment où vous pouvez espérer avoir de ses nouvelles. Le mieux est de convenir avec lui d'une date de suivi. Pour le suivi, vous pouvez laisser un délai d'une semaine au recruteur. Si vous n'avez pas de nouvelles une semaine après la date fixée, vous pouvez appeler, lui envoyer un courriel ou laisser un message pour faire un suivi.

En repartant, entre son bureau et la réception, essayez d'engager une courte conversation sur un point extraprofessionnel. Parlez de choses plus personnelles, utilisez l'information que vous avez recueillie sur votre interlocuteur au cours de l'entrevue.

Une fois, alors que j'étais en visite chez un client, j'ai remarqué une photo sur son bureau qui le montrait sur un grand voilier avec une bouteille de champagne à la main. J'en ai conclu qu'il avait gagné une course et qu'il devait être amateur de voile. Sans être spécialiste, je connais quelques noms et les grandes courses. À la fin de notre rencontre, je lui ai demandé ce qu'il avait pensé du dernier tour du monde en solitaire. Il m'a regardé avec étonnement et m'a demandé si j'avais le pied marin moi aussi. Je lui ai répondu que je n'étais sûrement pas un grand marin comme lui mais que je m'y intéressais. Je m'en suis quasiment fait un ami, mais surtout j'avais un nouveau client.

Pour bien clore cette étape, envoyez une lettre par la poste ou un courriel de remerciements immédiatement après l'entrevue. Remerciez le recruteur du temps qu'il vous a consacré et confirmez que vous êtes fortement intéressé par le poste. Très peu de candidats se donnent la peine d'écrire ce mot. Pourtant, il s'agit là d'une preuve de courtoisie et d'un outil pour démontrer ses aptitudes en communication écrite.

Et si l'entrevue est concluante...

Si votre entrevue s'est bien déroulée au point qu'on vous offre l'emploi, bravo ! Vous avez toutes les raisons de vous réjouir ! Toutefois, avant de balancer votre démission sur le bureau de votre employeur actuel, si vous en avez un, attendez d'avoir un contrat d'embauche écrit et signé. Ce document a force de loi. Tant qu'il n'est pas signé, l'entreprise n'est pas liée à sa promesse de vous engager. Si vous quittez votre emploi et qu'elle retire finalement son offre, vous n'aurez aucun recours. Impossible ? Détrompez-vous, cela s'est déjà vu !

Conclusion

Il n'existe aucune formule magique pour réussir une entrevue d'embauche, mais il y a une méthode à suivre. Il s'agit d'obtenir le plus d'information possible au sujet du poste et de son environnement.

La réussite résulte d'une connaissance approfondie de l'offre d'emploi, du poste, de l'entreprise visée mais aussi de son profil. Ces renseignements vous permettront d'analyser la situation et de tirer les conclusions qui orienteront votre comportement pendant l'entrevue.

Chaque employeur, chaque entrevue est unique, et c'est à vous de vous adapter, de comprendre les attentes du recruteur et de présenter votre profil en fonction de ses attentes particulières. On dit souvent que celui qui comprend les femmes aura le monde à ses pieds ; moi, je dis que celui ou celle qui comprend l'employeur mettra le pied dans l'entreprise !

Un dernier conseil pour la route : **ne refusez jamais au grand jamais une entrevue.** Même si le poste ne vous intéresse pas, allez-y !

D'abord, servez-vous de cette rencontre comme d'une source d'information sur le marché de l'emploi. De plus, chaque entrevue que vous faites vous donnera de l'expérience et vous rendra plus performant. Vous pourriez également vous apercevoir que l'offre d'emploi reflétait mal le poste et que finalement il vous intéresse. Ou encore, le recruteur pourrait se rendre compte que le poste en question ne vous convient pas, mais il vous verrait par contre dans un autre emploi qui répond à vos attentes. Il pourrait vous rappeler deux mois plus tard pour vous annoncer qu'il a un poste à la hauteur de vos compétences. Si vous cliquez avec lui, faites-lui confiance.

Il est toujours bon pour sa carrière d'avoir un recruteur dans son réseau de connaissances ; après tout, il pourrait aller travailler dans une autre entreprise et vous rappeler pour un poste qui vient de se libérer. Les possibilités sont quasiment infinies.

Chaque entrevue est une mine d'or, exploitez-la !

Bibliographie sélective

AZZOPARDI, Gilles. *Les nouveaux tests de recrutement*, 2e édition, Paris, Éditions Marabout, 2006, 216 p. (Collection Vie Professionnelle)

BOLLES, Richard N. *De quelle couleur est votre parachute?*, Repentigny, Éditions Reynald Goulet, 2005, 404 p.

BOUDRIAU, Stéphane. *Le CV par compétences*, 2e édition, Montréal, Les Éditions Transcontinental, 2004, 327 p. (Collection Affaires plus)

BUCKINGHAM, Marcus, et Donald CLIFTON. *Découvrez vos points forts dans la vie et au travail*, Paris, Éditions Village Mondial, 2003, 287 p. (Collection Efficacité professionnelle)

KENNEDY, Alain. *Lettres d'offre de service : comment se vendre auprès d'un employeur*, Montréal, Éditions Quebecor, 2006, 216 p.

WATKINS, Michael. *Les 90 jours pour réussir sa prise de poste*, Paris, Éditions Village Mondial, 2006, 238 p.

Faites-nous part de vos commentaires

Assurer la qualité de nos publications est notre préoccupation numéro un.

N'hésitez pas à nous faire part de vos commentaires et suggestions ou à nous signaler toute erreur ou omission en nous écrivant à :

livre@transcontinental.ca

Merci !